Reading & Interpretation

大家写小书·马恩经典著作新读

丛书主编 董振华

认识资本的规律

《经济学手稿（1857—1858年）》新读

王海英 著

红旗出版社

图书在版编目(CIP)数据

认识资本的规律 :《经济学手稿(1857—1858年)》新读 / 王海英著. —北京 : 红旗出版社, 2022.12
(大家写小书 / 董振华主编. 马恩经典著作新读)
ISBN 978-7-5051-5179-6

Ⅰ.①认… Ⅱ.①顾… Ⅲ.①马克思主义政治经济学-马克思著作研究 Ⅳ.①A811.66

中国版本图书馆CIP数据核字(2021)第192328号

书　　名　认识资本的规律
《经济学手稿(1857—1858年)》新读
著　　者　王海英

责任编辑	丁　鋆	丛书统筹	丁　鋆
责任校对	吕丹妮　沈云才	责任印务	金　硕
文字编辑	汪佳梅	装帧设计	戴　影
出版发行	红旗出版社		
地　　址	北京市沙滩北街2号	邮政编码	100727
	杭州市体育场路178号	邮政编码	310039
编 辑 部	0571-85310806		
E - mail	rucdj@163.com	发 行 部	0571-85311330
图文排版	杭州兴邦电子印务有限公司		
印　　刷	杭州广育多莉印刷有限公司		
开　　本	889毫米×1194毫米	1/32	
字　　数	62千字	印　　张	2.625
版　　次	2022年12月第1版	印　　次	2022年12月第1次印刷
ISBN 978-7-5051-5179-6		定　　价	20.00元

把读马克思主义经典当作生活习惯

（丛书序）

习近平总书记在纪念马克思诞辰200周年大会上的讲话中强调："共产党人要把读马克思主义经典、悟马克思主义原理当作一种生活习惯、当作一种精神追求，用经典涵养正气、淬炼思想、升华境界、指导实践。"阅读马克思主义经典著作对于广大党员干部树立正确的世界观、人生观和价值观，从而以科学的世界观和方法论分析问题、解决问题和推动工作，具有重大的意义。

一、通过阅读马克思主义经典，感悟马克思主义经典作家的崇高价值追求，不断升华思想境界

人的自然生命总是有限的，作为自然的人，历史上的伟人不可能再对我们耳提面命，但是，他们的灵魂不朽，作为我们的精神导师，他们可以穿越时空对我们谆谆教诲。我们和伟人对话的方式，就是阅读他们撰写的经典，去感悟经典中所承载的不朽灵魂和伟大人格。马克思主义经典作家虽然已经远去，但是他们的精神和思想是不朽的，通过他们所创造的事业而生生不息，通过他们的经典著作而天长地久。正如《道德经》所言："不失其所者久，死而不亡者寿。"我们通过反复阅读马克思主义经典作家留下的经典著作，和他们心灵共鸣、灵魂

共振，接受马克思主义智慧和道义的滋养，不断升华思想境界，走向崇高，活出生命的意义和价值。

马克思主义经典作家作为人类解放的“盗火者”，为了给人类带来光明，历尽千辛万苦，仍然不屈不挠，奋斗不息，成就了伟大的人生。马克思在参加中学毕业考试的时候写下的作文《青年在选择职业时的考虑》中指出：“如果我们选择了最能为人类而工作的职业，那么，重担就不能把我们压倒，因为这是为大家作出的牺牲；那时我们所享受的就不是可怜的、有限的、自私的乐趣，我们的幸福将属于千百万人，我们的事业将悄然无声地存在下去，但是它会永远发挥作用，而面对我们的骨灰，高尚的人们将洒下热泪。”[①]从马克思的这篇作文中，我们可以强烈地感受到他伟大的人格和崇高的价值追求，能够明白什么样的生命才是有意义和价值的，才能够坚定理想信念，升华精神境界。马克思的生命实践充分彰显了伟人的灵魂和精神价值，也成就了马克思光辉的人生，受到了人们的普遍敬仰和尊敬。

正如习近平总书记在纪念马克思诞辰200周年大会上的讲话中所指出的：“马克思的一生，是胸怀崇高理想、为人类解放不懈奋斗的一生。”“马克思一生饱尝颠沛流离的艰辛、贫病交加的煎熬，但他初心不改、矢志不渝，为人类解放的崇高理想而不懈奋斗，成就了伟大人生。”

---

①《马克思恩格斯全集》第1卷，人民出版社1995年版，第459—460页。

二、通过阅读马克思主义经典，学习马克思主义经典严谨的论证逻辑，掌握科学思想方法

一个理论如果缺乏严密的逻辑论证，要么是停留于空洞无物的无病呻吟，要么是停留于盲目自大的独断空论，这是苍白无力的，是不能够让人真服真信的。我们通过阅读马克思主义经典，可以得出这样的深切感受：他们不是高高在上向人们颁布真理，而是通过铁的逻辑一步步严谨论证，最终的结论是自然而然在字里行间得出并呈现给读者，从而能够说服人、打动人、鼓舞人，让人们真懂、真信、真用，这是逻辑的力量！

我们阅读《共产党宣言》就能够强烈感受到这种逻辑的力量。马克思、恩格斯站在历史唯物主义的客观立场，对资本主义及其繁荣的景象进行了绘声绘色的描绘，对资本主义制度的历史贡献和历史合理性进行了充分肯定。在充分肯定的基础上，却得出了彻底否定的结论。这里所运用的逻辑就是辩证法。根据辩证法的逻辑，“辩证法在对现存事物的肯定的理解中同时包含对现存事物的否定的理解”，资本主义造就了如此巨大的生产力，极大地推动了历史的发展和社会的进步，但是，这也恰恰是资本主义必然要退出历史舞台的内在原因。因此，资本主义的合理性只是历史的合理性，也就是说，这只是有一定的前提和界限的合理性，只是在人类历史进程中的某一阶段具有合理性，超过了这个阶段必然丧失合理性。为此，《共产党宣言》指出：“资产阶级用来推翻封建制度的武器，

现在却对准资产阶级自己了。”[①]“资产阶级的关系已经太狭窄了，再容纳不了它本身所造成的财富了。”[②]因此，资本主义和资产阶级应该灭亡了，也必然会灭亡，“资产阶级的灭亡和无产阶级的胜利是同样不可避免的”[③]。资本主义必然灭亡，但是，这并不意味着它会自动灭亡，“共产党人不屑于隐瞒自己的观点和意图。他们公开宣布：他们的目的只有用暴力推翻全部现存的社会制度才能达到”[④]。

由此我们可以看到，无产阶级必须通过革命手段实现人类解放的根本价值追求，这一科学结论不正是在辩证法严密逻辑的基础上经过充分论证而得出来的吗？我们阅读马克思主义经典，就要学习这样的科学思想方法，在理论宣传和群众工作中力求做到言之有理、持之有故、以理服人，才能够让人们真信、真服，从而用科学的理论和崇高的价值说服人、凝聚人。

三、通过阅读马克思主义经典，体悟马克思主义经典蕴含的强烈问题意识，善于聆听时代声音

马克思主义经典作家撰写著作，并不是为了学术上的建树和理论上的兴趣，而是为了人类解放这一根本价值主题，针对时代问题而撰写的，因此，马克思主义经典著作蕴含着深刻的问题意识。我们阅读马克思主义经典著作，就必须深入到

①《共产党宣言》，人民出版社2018年版，第34页。
②《共产党宣言》，人民出版社2018年版，第33页。
③《共产党宣言》，人民出版社2018年版，第40页。
④《共产党宣言》，人民出版社2018年版，第65页。

这些著作撰写时的历史语境中，用强烈的问题意识把握这些经典著作所针对的时代问题，否则就容易陷入教条主义，至多成为一个只会夸夸其谈的“理论家”。

每个时代都有属于自己的时代问题，牢牢抓住这个时代问题，用强烈的问题意识准确地把握时代问题的本质，并找到解决时代问题的价值选择和理性方法，这是马克思主义经典作家在进行经典创作时的出发点。我们在阅读马克思主义经典的时候，应当通过回到当时的时代语境，进行视界融合，体悟当时人类现实生活的生存境遇、价值诉求等层面凸显出来的矛盾与问题，去学习马克思主义经典作家对这些时代问题进行深度研究、审视与批判所运用的逻辑和方法，映照当今的时代问题，从而得到启发和方向。

各级领导干部阅读马克思主义经典著作要在思想与时代问题的互动对话中完成，就必须把握时代脉搏，强化问题意识，正确审视当代社会发展中的问题与困境。马克思主义的基本原理为我们的实践活动提供了总的指导思想、根本原则和根本方法，但是，它没有提供解决问题的现成答案，必须由我们自己在坚持马克思主义立场、观点、方法的基础上，创造性地探索和解决这些问题。

毋庸置疑，广大党员干部对于阅读马克思主义经典的重要性基本形成了一种共识，但是面对纷繁复杂的社会环境、繁杂繁重的日常工作以及浩如烟海的经典著作，党员干部如何才能亲近经典、深入经典、融入经典呢？本着“学马列要精，要管用”的原则，丛书第一辑我们选定了10本经典著作，由红旗文稿杂志社社长顾保国主编，组织国内著名高校的权威专家进行精心解读，出版之后社会反响强烈，不断收到读者反馈，要求我们继续编撰出版相关著作；丛书还入选了国家新闻出版署组织实施的2020年“优秀通俗理论读物出版工程”。这既是对我们工作的肯定和鼓励，也是对我们的鞭策和激励，更是我们理论工作者义不容辞的责任和使命。正是基于这样的考虑，我们在第一辑的基础上，秉持同样的理念又选定了10本经典著作，组织权威专家进行解读，并由红旗出版社编辑出版“大家写小书·马恩经典著作新读”第二辑，希望为马克思主义大众化作一点力所能及的贡献，不辜负大家的期望和伟大的时代。必须实事求是地指出，马克思主义经典著作内容博大精深，而我们对其的学习和领悟只能是冰山一角、高山仰止。鉴于我们的学术水平和认知能力有限，肯定存在解读不准确甚至错误的地方，敬请各位读者不吝指正！

中共中央党校（国家行政学院）
哲学教研部副主任、教授　董振华

2022年4月

目　录

前言

当今世界，金融已经成为稳定经济的基石，受到各个国家的高度重视。进入新时代，习近平总书记高度重视金融与经济的关系，在多个场合发表了一系列重要论述，具有十分重要的理论指导意义。2017年4月，习近平总书记就指出“金融是现代经济的核心”，“要把防控金融风险放到更加重要的位置”①。2019年2月，习近平总书记在中共中央政治局第十三次集体学习时强调，“正确把握金融本质，深化金融供给侧结构性改革，平衡好稳增长和防风险的关系，精准有效处置重点领域风险，深化金融改革开放，增强金融服务实体经济能力，坚决打好防范化解包括金融风险在内的重大风险攻坚战，推动我国金融业健康发展”②。2020年中央经济工作会议再次强调，要完善宏观经济治理，加强国际宏观政策协调；健全金融机构治理，促进资本市场健康发展。③2021年中央经济工作会

---

①《习近平：金融活经济活　金融稳经济稳》，新华网，2017年4月26日，http://www.xinhuanet.com//politics/2017-04/26/c_1120879349.htm，2021年12月20日。

②《习近平主持中共中央政治局第十三次集体学习并讲话》，中华人民共和国中央人民政府网，2019年2月23日，http://www.gov.cn/xinwen/2019-02/23/content_5367953.htm，2021年12月20日。

③ 参见《中央经济工作会议在北京举行》，《人民日报》2020年12月19日，第1版。

议再次强调，要正确认识和把握资本的特性和行为规律。①

市场经济同样适用于社会主义，社会主义市场经济是中华民族的一个伟大创造。社会主义市场经济中必然存在各种资本形态，要发挥资本作为生产要素的积极作用，同时有效控制其消极作用。这就要为资本设置“红绿灯”，依法加强对资本的有效监管，防止资本野蛮生长；要支持和引导资本规范健康发展，坚持和完善社会主义基本经济制度，坚持“两个毫不动摇”；继续实施积极的财政政策和稳健的货币政策，实施新的减税降费政策；着力稳定宏观经济大盘，保持经济运行在合理区间，保持社会大局稳定。

马克思的经典著作《经济学手稿（1857—1858年）》（以下简称《手稿》）对我们进一步把握资本的特性和行为规律、维护国家经济安全具有重要的理论指导意义。为此，笔者在对原著潜心研究的基础之上，结合新时代中国特色社会主义经济建设的客观现实和实践要求，撰写了本书，分为四个章节。

第一章介绍了《手稿》的写作背景。19世纪40年代，资本主义已进入到以机器和机器体系从事社会化大规模生产的工业时代。资本主义生产方式统治地位也因此得到确立，资产阶级凭借资本实现了社会经济系统各领域的整体发展，但也加速了资本主义社会基本矛盾的日益尖锐化，无产阶级运动风起云涌。在这样的社会背景下，资本家和工人两个对立阶级之间的矛盾日益尖锐，斗争日益激烈。随着无产阶级作为一支独立的政治力量登上历史舞台，革命运动的实践迫切需

① 参见《中央经济工作会议在北京举行》，《人民日报》2021年12月11日，第1版。

要有革命的经济学理论指导。《手稿》切合时代需要孕育而生。

第二章介绍了《手稿》的主要内容。《手稿》将马克思主义唯物史观运用于经济领域实践的现实分析，为分析政治经济学提供了重要参考。从世界观层面来看，《手稿》庞杂的思想体系中蕴含着从“社会存在”理论出发的两条紧密相连的思想线索：一条是依循“物质生产”问题而展开的，通过这条线索，《手稿》揭示了生产的本质以及生产、消费、分配、流通四个环节辩证统一关系；另一条是依循“生产”问题而延伸的，通过这条线索，《手稿》揭示出商品转化为货币，货币转化为资本，资本转化为剩余价值复杂而隐秘的过程，不断展开其对资本主义生产方式的批判，进而揭示出未来社会的生产力运行的规范。另外，《手稿》还包含从《1844年经济学哲学手稿》异化劳动延续下来，并在《资本论》拜物教中得到深刻论证的“活劳动”批判理论。从方法论层面来看，《手稿》严密精细的思想体系中蕴含着政治经济学研究关涉的两条道路，一条是从抽象上升到具体的方法，一条是“普照的光”的方法。

第三章介绍了《手稿》的理论价值和历史意义。马克思在《手稿》中基于唯物史观非常详实地阐述了政治经济学的基本问题，形成了马克思主义政治经济学一系列重要思想，涵括经济学领域研究的重大哲学创新和考察社会历史问题的重要方法论，具有奠基性的历史意义。

第四章介绍了《手稿》在新时代的现实意蕴。《手稿》透过经济学领域深入到现代社会生活的复杂层面，分析资产阶级社会经济运作中社会异化现象，这是唯物史观的哲学抽象在经济学领域实现的历史性确证。这说明马克思哲学思想来源于社会，又有助于我们深入洞察社会，并合理科学地指导我们进行社会实践。新时代中国马克思主义政治经济学的发展创新必然要从马克思主义政治经济学基本立场、观点出发，深入挖掘其永恒的价值旨趣，结合新时代中国发展具体实际，探寻《手稿》对指导新时代中国经济发展的现实意蕴，包括正确认识和把握资本的特性和行为规律，丰富和完善社会主义基本经济制度，促进社会主义市场经济中资本的合理应用，等等，以马克思主义政治经济学中国化的理论成果，进一步指导中国经济社会的发展。

Reading & Interpretation
大家写小书·马恩经典著作新读

第一章
写作背景

马克思写作《手稿》之时，是资本主义发展到以机器化大生产为代表的工业时代，资产阶级与无产阶级的矛盾日益尖锐。1848年的欧洲革命正是这一矛盾的凸显。为深入剖析资本主义经济政治发展规律，马克思继《1844年经济学哲学手稿》之后，于1849年重启对资本主义政治经济学的研究。《手稿》就是这一时期的研究成果。

一、关注无产阶级和资本主义经济危机

19世纪40年代，资本主义已进入机器大工业时代。随着资本主义生产方式统治地位的确立和社会经济的飞速发展，资本主义社会的基本矛盾日益加剧，无产阶级运动风起云涌。在这样的社会条件下，资本家和工人两个对立阶级之间的矛盾日益尖锐，斗争日益激烈。随着无产阶级作为一支独立的政治力量登上历史舞台，从政治经济学角度分析资本主义社会生产的本质和矛盾，从而为“武器的批判”提供“批判的武器”，这正是马克思历史唯物主义的具体表达和现实任务。

资本主义经济繁荣发展的背后潜藏着经济危机和一触即发的矛盾冲突。经济危机是资本主义经济发展过程中矛盾和冲突周期性爆发而造成的一种社会混乱状态。早在19世纪40年代，马克思便开始关注资本主义经济危机现象，并预言其来临的必然性。危机促使马克思加紧对经济理论的研究，总结出自己的理论成果。与此同时，马克思通过社会实践，亲眼看到了劳苦大众的悲惨境遇，真实记录了资本主义危机发展进程，并深入探讨与经济危机相关的理论问题，不断揭开资本主义生产关系的秘密。马克思做了3本笔记，具体记录了英法

德等欧洲资本主义国家的危机情况。从1857年夏开始，他用一年时间写下了7本手稿，即此《手稿》。马克思还为这部《手稿》写了一篇总导言即《〈政治经济学批判〉导言》（以下简称《导言》）。《导言》中论述的问题，也是《手稿》计划的要点及其最具规律性的结论。

知识链接 ……………………………………………………

★ 经济危机 ★

经济危机是指资本主义在生产过程中周期性爆发的生产过剩的危机。这种生产过剩不是绝对过剩而是相对过剩，即相对于劳动人民有支付能力的需求和资本价值增殖的需要而言的过剩。经济危机的一般表现是：商品大量积压、生产锐减、工厂大批倒闭、工人大量失业、信用关系严重破坏，整个社会经济陷入极端混乱和瘫痪之中。虽然危机的可能性在货币出现以后就已经产生了，但只有在资本主义生产方式下才具有现实性。这是由资本主义生产方式的基本矛盾决定的，即生产的社会性和资本主义私有制之间的矛盾。

二、总结经济学的研究成果

早在1843年，马克思就开始研究政治经济学理论，曾计划写一部关于政治经济学批判的著作。1848年注定是欧洲历史上不平凡的一年。马克思见证了欧洲革命的枪炮与梦碎，并进一步思考革命失败的经验和教训。1849年，马克思又重新启动了他的政治经济学研究工作。他大量收集和阅读相关文献资料，全面深入地探讨政治经济学中一系列重要概念、范畴和逻辑等问题，批判地吸收了前人的理论成果，取得了重要的研究成就。例如，马克思继承了亚当·斯密、大卫·李嘉图经济学理论的科学因素并加以合理的创新，用唯物史观从根本上改造了劳动价值论，并在劳动价值论基础上科学地创立了剩余价值学说。1857年，马克思全力对收集的材料进行系统总结概括，《手稿》便是这一时期关键性研究所得。马克思曾引以为豪地认为，在他黄金时代的15年中，他所研究的经济学成果在此著作中充分得到呈现。[①]马克思创作这一手稿的目的不是为了出版，主要是为了自己把问题搞清楚。学习这个手稿如同进入了马克思的经济学"实验室"，可以帮助我们看到那些经典的经济学原理是怎样在马克思的头脑中逐步形成的。

知识链接

★ 1848年欧洲革命 ★

1848年革命，也称民族之春(Spring of Nations)或人民之春(Springtime of the Peoples)，是在1848年欧洲各国爆发的一系列武装革命，是平民与贵族间的抗争，主要是欧洲平民与自由主义学者对抗君权独裁的武装革命。这一系列革命波及范围广，影响国家多，是欧洲历史上最大规模的革命运动。第一场革命于1848年1月在意大利西西里爆发。随后的法国二月革命更是将革命浪潮波及几乎全欧洲，仅俄国、西班牙及北欧少数国家未受影响。这一系列革

① 参见《马克思恩格斯文集》第10卷，人民出版社2009年版，第167页。

命大多以迅速失败告终。尽管如此，1848年革命还是造成了各国君主与贵族体制动荡，并间接导致了德意志统一及意大利统一运动。

《手稿》历经了“百年孤独”的历史命运，于1923年才以独立姿态为人所知。1939年，《手稿》以《政治经济学批判大纲（1857—1858年草稿）》为标题，由马克思恩格斯研究所以德文原文在莫斯科出版了第1卷。[①]此后，又时隔20多年，《手稿》才在欧洲世界广为流传。1973年，它首次由马丁·尼古拉斯完整地译介为英文。[②]《手稿》英文版的发行，吸引了众多理论家从多个学术维度对《手稿》进行研究和评注，不断发掘其所蕴含的巨大的政治经济学思想宝藏。

延伸阅读

（1）马克思：《1857—1858年经济学手稿摘选》，《马克思恩格斯文集》第8卷，人民出版社2009年版。

（2）马克思：《〈政治经济学批判〉序言》，《马克思恩格斯文集》第2卷，人民出版社2009年版。

（3）习近平：《不断开拓当代中国马克思主义政治经济学新境界》，《求是》2020年第16期。

---

① 参见赵学清：《马克思〈1857—1858年经济学手稿〉研究读本》，中央编译出版社2017年版，第30—31页。

② 参见［法］汤姆·洛克曼：《马克思主义以后的马克思——卡尔·马克思的哲学》，杨学功、徐素华译，东方出版社2008年版，第144页。

深度思考

（1）《经济学手稿（1857—1858年）》的写作背景和写作目的。

（2）如何理解《经济学手稿（1857—1858年）》历经了“百年孤独”的历史命运？

Reading & Interpretation
大家写小书·马恩经典著作新读

第 二 章

主要内容

《手稿》思想体系中蕴含着从“社会存在”理论出发的两条紧密相连的思考线索：一条是依循“物质生产”问题而展开的，通过这条线索，《手稿》揭示了生产的本质以及生产、消费、分配、流通四个环节辩证统一关系；一条是依循“生产”问题而延伸的，通过这条线索，《手稿》揭示出商品转化为货币，货币转化为资本，资本转化为剩余价值的复杂而隐秘的过程。另外，《手稿》延续了《1844年经济学哲学手稿》中反思资本主义生产的异化视角，用“活劳动”的概念揭示工人异化程度之深。从方法论层面来看，《手稿》蕴含着政治经济学研究关涉的两条道路。一条是从抽象上升到具体的方法，即“抽象的规定在思维行程中导致具体的再现”的规定。一条是“普照的光”的方法，即通过考察一个社会中占据支配地位的生产方式进而把握这个社会的本质特征。

一、资本主义财富的社会存在形态

“社会存在”是马克思主义哲学的重要范畴。马克思政治经济学理论正是从“社会存在”理论出发论及资本主义社会经济概念而形成的，其中包含着资本主义财富作为“社会存在”的三大基本表现形态：商品、货币和资本。《手稿》指出，“表现资产阶级财富的第一个范畴是商品的范畴”[①]，资本主义生产方式中一切危机的胚芽就是商品。马克思把资本主义财富的积累视作“商品的堆积”，将商品视作资本主义社会经济肌体的“细胞”。商品具有二重性。马克思指出，“商品本身表现为

① 《马克思恩格斯全集》第31卷，人民出版社1998年版，第293页。

两种规定的统一”[①]，即使用价值和交换价值的统一。商品的使用价值，即满足人的某种需要的物的功能。商品的使用价值是商品存在的前提条件，是某种社会经济关系得以体现的物的规定。比如说，小麦，无论它是哪个阶级生产的，都具有相同的使用价值，即使它像雪花一样随风飘散，其使用价值依然存在。但是使用价值究竟是怎样变为商品？这必须通过交换的过程，让使用价值为商品购买者所占有。此时商品的交换价值就能在这一过程中实现。《手稿》指出，“商品作为交换价值的一切属性，在货币上表现为和商品不同的对象，表现为和商品的自然存在形式相脱离的社会存在形式”[②]。商品的使用价值，也就是商品的有用性，是商品的“自然存在”形式。但商品并非只具有使用价值，商品作为商品有其更为重要的交换价值。商品的交换价值反映了人与人之间的社会关系，商品的交换价值赋予了商品更高层次的“社会存在”的形式。商品的社会存在形式是通过货币这样一种具有神奇创造力的媒介实现的。经过货币的“淘洗”，商品实现了由“自然存在”飞跃至“社会存在”的高级形式，货币帮助商品实现了让“想象的存在转化为现实的存在”。

货币是资本主义财富的又一种社会存在形式。马克思关于货币的论述达到了一个更新、更凝练的程度。马克思认为，“商品只是一些偶然的存在物。货币是‘万物的结晶’，在货币上，商品的特殊性质消失了；一般财富作为精练的概括而同财

①《马克思恩格斯全集》第31卷，人民出版社1998年版，第293页。
②《马克思恩格斯文集》第8卷，人民出版社2009年版，第42页。

富在商品世界中的扩散和分散相对立”[①]。当交换价值构成货币实体，交换价值就是社会财富。由于货币能够实现商品由“自然存在”向“社会存在”的转化，体现出商品的交换价值这种更高级的存在形式，所以货币作为一种社会存在，就具有了胜于商品这种社会存在的功能，成为社会财富的更为高级的代言形式。种类繁多的商品是社会财富的各种不同表现形式，每一种商品都是社会财富的偶然表达，它们作为具体的财富形式扩散和分散在社会生活中。与此不同，货币则体现为一般财富。货币是对所有商品的精炼和概括，货币只有一种形式，可以为所有商品代言。因此货币荣膺“万物的结晶”的称谓，它已然超越作为“偶然存在物”的商品。货币不同于商品在社会中的扩散和分散，它作为唯一的形式把社会财富集中起来，表现为社会财富的必然形式。

资本作为资本主义财富的社会存在形式，是财富最高级的化身。货币是一般财富的代表，而资本是货币的代表。马克思认为只有正确把握资本的特征及其运行规律，才能理解资本主义社会经济社会发展全貌，因为资本是资本主义社会的基础积淀层。马克思指出，准确地阐明资本概念、范畴和逻辑是非常有必要的，因为它是理解现代经济学的核心概念和命题。资本构成了资产阶级社会的基础，只有明确了资本的本质及其行为规律，才能够不断揭示资本主义生产的一系列矛盾。马克思接着论述了资本贯穿于生产、消费、分配、流通全过程，揭示出资本二重性：从生产力的角度，资本具有“文明

---

①《马克思恩格斯全集》第30卷，人民出版社1995年版，第172页。

化"的趋势;从生产关系的角度,资本增殖具有其内在界限。资本的运用加快了社会的发展,推动了世界历史的形成,从而使文明征服了野蛮。但资本在增殖过程中同时带来工人与资本家之间的对立,带来生产与消费的矛盾。总之,资本的逐利本性导致了社会的发展,也决定了资本主义生产方式必然灭亡。资本主义生产关系的秘密就隐藏在资本中。

知识链接 ……………………………………………………

★ 恩格斯在马克思墓前的讲话(节选)[1] ★

正像达尔文发现有机界的发展规律一样,马克思发现了人类历史的发展规律,即历来为繁芜丛杂的意识形态所掩盖着的一个简单事实:人们首先必须吃、喝、住、穿,然后才能从事政治、科学、艺术、宗教等等;所以,直接的物质的生活资料的生产,从而一个民族或一个时代的一定的经济发展阶段,便构成基础,人们的国家设施、法的观点、艺术以至宗教观念,就是从这个基础上发展起来的,因而,也必须由这个基础来解释,而不是像过去那样做得相反。

不仅如此。马克思还发现了现代资本主义生产方式和它所产生的资产阶级社会的特殊的运动规律。由于剩余价值的发现,这里就豁然开朗了,而先前无论资产阶级经济学家或者社会主义批评家所做的一切研究都只是在黑暗中摸索。

二、生产理论及资本主义生产的秘密

经济学研究的对象首先是物质生产。马克思经济学理论

①《马克思恩格斯选集》第3卷,人民出版社2012年版,第1002—1003页。

有别于资产阶级经济学理论的关键在于，马克思将物质生产问题置于“社会存在”视域下来展开论述，认为任何生产形式都是个体于一定社会存在中并借助这种社会形式而进行的。相反，资产阶级经济学家是将个体的生产作为研究的立足点。个人本身是具有社会性的个人，由社会性的个人所组织的生产必然表现为社会性的生产。生产的社会性赋予人整个成长过程更为全面的社会性。马克思认为，人的本质“是一切社会关系的总和”[①]。只有在社会中，人的自然属性才具有它存在的意义。人们在自己生活的社会场域中发生生产的关系，所有关系必须同他们一定发展阶段的社会生产力相顺应。现实的个人存在于生产自身生活资料的生命活动、对象化活动、社会化活动中，这意味着生产的社会性决定人的社会性。

生产的社会性有一般性和特殊性。任何生产既存在于一切时代、每一个社会发展阶段，又都是一定时代社会发展阶段的产物。这决定了生产带有一切时代的一般共性，以及一定社会发展阶段的特殊个性。生产的过程也是共时性和历时性不断统一的过程。马克思认为，生产一般是一个抽象，只要它真正把共同点提出来，并规定其共同点，它就是一个合理的抽象；而“生产一般”是由“一定社会阶段上对特殊生产形式的关系”而规定的。[②]例如：马克思论及“生产一般”时，认为任何社会生产都是一个由生产、消费、分配和流通组成的有机统一的过程。在资本主义社会，生产的“本质差别”在于资本贯彻于

① 《马克思恩格斯文集》第1卷，人民出版社2009年版，第501页。

② 参见《马克思恩格斯文集》第8卷，人民出版社2009年版，第9—10页。

生产、消费、分配和流通各环节，表现为资本扩张、分配方式、资本周转、资本积累过程中利弊此消彼长的二重性。马克思在分析生产与消费、分配和交换的关系基础上，深刻指出在资本主义生产过程中，商品—货币—资本—剩余价值的转化关系，揭示了资本主义生产的秘密。

生产与消费、分配、交换之间形成以生产为基础的辩证统一的关系。

首先，生产与消费具有辩证统一关系。马克思在《手稿》中阐述了生产和消费的同一性原理。马克思指出，两者的每一方是彼此实现和创造的过程。[①]通俗地讲，生产过程就是消费过程。这里的消费是指生产过程中存在着生产资料和劳动力的消费。生产过程中需要消费生产资料，也需要消费劳动力。因此生产过程就是通过对生产资料和劳动力的消费，生产出新的产品。显而易见，这个消费概念并非通常理解的日常生活消费。马克思指出了消费的本质内涵：消费与生产具有同一性，消费由生产所决定。在此基础上，消费需求也同时影响生产规模、生产产品、生产结构。

其次，生产与分配具有辩证统一关系。马克思在《手稿》中阐述生产决定分配的原理。马克思指出，**"消费资料的任何一种分配，都不过是生产条件本身分配的结果；而生产条件的分配，则表现生产方式本身的性质"**[②]。由于生产构成消费、分配、交换的基础，消费资料的分配取决于生产条件的分配。而生产条件的分配本质上就是一个社会的生产关系。在马克思

① 参见《马克思恩格斯文集》第8卷，人民出版社2009年版，第17页。

②《马克思恩格斯文集》第3卷，人民出版社2009年版，第436页。

看来，生产条件的好坏，从某种程度上，是决定着消费资料分配合理与否的重要因素。合理的生产关系决定着合理的分配关系。分配关系同时对生产关系形成重要影响。不合理的分配关系会导致生产关系的变更。

再次，生产决定交换。马克思在《手稿》中阐述生产决定交换的原理。马克思指出，**"交换就其一切要素来说，或者是直接包含在生产之中，或者是由生产决定"**①。交换作为生产要素，直接在生产之中体现。在生产过程中发生的各种形式的交换，直接由生产所决定。生产的发展和结构决定交换的深广度和方式。交换的深度和广度同时也影响生产规模和生产结构。

总之，生产在物质生产四环节中处于决定地位，决定着消费、分配和交换以及不同过程和生产要素间的关系，而不同过程和生产要素间的关系也会影响生产的构成和形式。在对资本主义生产方式和资本形成背景与作用方式研究中，马克思发现资本贯穿于生产、分配、流通、消费等社会生产全部环节中。如在生产环节，资本的扩张使得交换范围扩大，生产规模随之扩大，生产分工更细；在分配环节，分配随生产规模的扩大而发生变动，资本致使分配不合理现象的发生；在交换环节，资本既有助于畅通生产体系循环，又会导致生产的过度虚拟化运转；在消费环节，消费的需求能引导生产，资本以降低大多数人的收入而抑制整体消费为代价，为新产品的消费普及提供阶层基础。

---

①《马克思恩格斯文集》第8卷，人民出版社2009年版，第23页。

生产理论的提出，奠定了马克思批判资本主义生产方式的基础。《手稿》揭示出商品转化为货币，货币转化为资本，资本转化为剩余价值的秘密，完整地呈现出资本主义生产和积累过程的内在矛盾和危机，深刻地反映出资本主义制度的历史局限性。

第一，商品转化为货币。《手稿》中，马克思最先研究了在资本主义生产方式中最核心的一个范畴——商品，指出资本主义生产方式一切危机的胚芽就是商品。商品的二重性使商品可以转化为货币。商品具有使用价值与交换价值，交换价值应以使用价值为基础。在商品的价值二重性中，这种由交换价值标示的"通过交换而占有"的财富生产方式，成为资本主义社会生产制度的基本形式，它掩盖着商品使用价值这个前提，使商品生产和商品交换走向自我异化，发展出一种极具压榨性和剥削性的经济增长方式。这正是以资本为基础的资本主义经济危机的最深层次的根源所在。在《资本论》中，马克思更为详实地揭露了这种社会生产制度的欺骗性以及所蕴含的危机根源。马克思说，"交换价值好像是一种偶然的、纯粹相对的东西"[①]。实际上，马克思要表明在交换价值这个范畴中蕴含着资本主义生产方式内部诸多不确定性，或者说其生产积累过程中存在着诸多不确定因素。这些不确定因素，极不容易被人们所察觉。之所以资本主义生产方式的危机根源难以被发现，是因为交换价值中所蕴藏的谜一般的神秘性。要破译交换价值所蕴含的神秘性，就需要进一步思考劳

①《马克思恩格斯文集》第5卷，人民出版社2009年版，第49页。

动二重性。

商品的二重性的根源在于劳动的二重性，商品价值二重性是建立在生产商品的劳动的二重性基础之上的。换言之，劳动的二重性是商品价值二重性的内在本质，这也是破译交换价值所蕴含的神秘密码的关键所在。马克思在《资本论》中指出，“商品中包含的劳动的这种二重性，是首先由我批判地证明的”[①]。这种二重性成为理解政治经济学的枢纽，在此需要详细论证。马克思明确指出把握商品的劳动二重性对于揭示资本主义生产方式秘密的重要性，深刻指出商品的劳动二重性是资本主义危机产生的根源。马克思在《手稿》中写道：“商品不是只存在于现象之中的一般劳动时间的对象化（这种劳动时间本身只是和自身的质相分离的、仅仅在量上不同的劳动），而是一定的、自然规定的、在质上和其他劳动不同的劳动的一定结果。”[②]马克思虽然没有直接界定具体劳动和抽象劳动的概念，但是劳动的二重性的思想在其中已然表露明显。具体劳动即一定的、自然规定的、在质上和其他劳动不同的劳动，是生产目的、劳动对象、所用工具、生产结果有差别的劳动；抽象劳动即一般劳动时间的对象化（这种劳动时间本身只是和自身的质相分离的、仅仅在量上不同的劳动）。具体劳动生产商品的使用价值，抽象劳动生产商品的交换价值。具体劳动和抽象劳动是同一劳动过程形成的既相互联系又相互对立的两个方面。马克思创立了劳动的二重性学说，使资产阶级古典政治经济学家亚当·斯密和大卫·李嘉图等人提出的

---

①《马克思恩格斯文集》第5卷，人民出版社2009年版，第54—55页。

②《马克思恩格斯全集》第30卷，人民出版社1995年版，第92页。

劳动价值论成为科学的价值理论。

价值等式促进商品向货币的转化。马克思对价值等式及商品向货币的转化的考察是从简单的价值等式、扩大的价值等式、价值等式的货币形式展开的。《手稿》中对简单的价值等式进行了解释:商品只有表现在另一种商品上,同时赋予商品间关系,才是交换价值。比如,如果1舍费耳小麦=3舍费耳黑麦,那么,表现为价值的,只是1舍费耳小麦,而非后者。[①]这段话是商品交换简单价值等式的文字表达,在《资本论》中有更为具体化的表达,x量商品A=y量商品B,或x量商品A值y量商品B。在马克思看来,在1舍费耳小麦=3舍费耳黑麦所表现的价值关系中,小麦就是以相对价值形式呈现的商品,而黑麦是能表现价值的商品,它正是等价形式,两者关系不能颠倒。随着交换过程的进一步发展,货币成为固定充当一般等价物的商品。马克思察觉到在资本主义社会中,资本主义财富生产的根本目的是让商品的交换价值取代其使用价值,必须通过货币媒介,商品的交换价值才能得以实现。随着货币的产生,商品世界出现两极化倾向,一方代表着不同使用价值的具体商品,一方代表商品价值的货币。这使得商品使用价值和交换价值的矛盾,为商品和货币的矛盾所取代。货币的出现使交换流通的过程更加顺畅,从而促进了商品经济的发展。但是,货币并不能从本质上化解商品经济的矛盾,反而引发了矛盾,促使危机的产生。马克思警觉地提醒人们商品向货币的转化是一场“惊险的跳跃”[②],这个跳跃失败的话,损害

① 参见《马克思恩格斯全集》第30卷,人民出版社1995年版,第157页。

②《马克思恩格斯选集》第2卷,人民出版社2012年版,第137页。

的并非商品，而是商品的占有者本身。

第二，货币转化为资本。《手稿》中的《资本章》的标题全称是《作为资本的货币章》，表明马克思将重点研究从货币到资本的过渡问题。货币从原始氏族社会末期就已经出现，但货币必须在一定的历史条件下才能转变为资本，那么作为货币的货币和作为资本的货币有什么区别？货币转化为资本的历史条件和深层逻辑又是什么？

在文本写作的开始，马克思首先探讨了流通领域的货币及其体现出的形式上的平等与自由。在商品交换中，货币在谁手中都是一样的，货币拥有者的差别被抹平了，用十元钱买商品的工人与十元钱买商品的王子，“两者职能相同，地位平等”[①]，“他们之间的一切差别都消失了”[②]，这相对于历史上的专制社会，无疑是人与人社会关系上的真实历史进步。

一方面，在两个交换主体平等地交换中，所交换的商品作为交换价值是等价物，交换主体是处于社会关系平等的人，交换对象是交换价值相等的东西，马克思指出：人们“在需要和生产上的差别，才会导致交换以及他们在交换中的社会平等”[③]，人与人的平等关系正是在市场交换产生的特定社会关系中发展起来的。另一方面，交换代替了强制占有，谁都不用暴力占有他人的财产，每个人都是自愿地出让财产，这是自由的最重要的现实基础。因此，马克思深刻地指出，“作为纯粹观念，平等和自由仅仅是交换价值的交换的一种理想化的表

①②《马克思恩格斯全集》第46卷（上册），人民出版社1979年版，第199页。
③《马克思恩格斯全集》第46卷（上册），人民出版社1979年版，第194页。

现”[①]，而货币就是这种“自由和平等制度的实现”[②]。

对此，马克思并没有简单肯定或否定，而是更加深入地观察这个流通领域的表象背后，他要用隐匿在资本主义经济关系中的历史辩证法，去证明“交换价值，或者更确切地说，货币制度，事实上是平等和自由的制度，而在这个制度更详尽的发展中对平等和自由起干扰作用的，是这个制度所固有的干扰，这正好是平等和自由的实现，这种平等和自由证明本身就是不平等和不自由”[③]，流通过程的交换过程长期遮蔽了资本主义的不平等与不自由，只有超过这种观察层面才能进入货币作为资本的更深层面。

这种形式上的平等和自由，在资本和劳动的简单交换中体现得极为充分。资本家付出了货币形态的工资，工人付出了劳动“商品”，这个“商品”的价格仿佛刚好等于所支付的货币，因此从表面来看，双方是在自愿且平等的原则下进行交换。但马克思发现，两者的实际付出和交换所得是完全不一样的，表面上的平等掩盖着实质的不平等。因为，工人在交换中实际上出卖的不是劳动，“工人出卖的是对自己劳动的支配权，这种劳动是一定的劳动，一定的技能等等”[④]，同样，资本家付出的一定量的货币换取的是活劳动，这种劳动“商品”的使用价值是生产财富的一般力量，是价值创造的唯一源泉。虽然，货币形态的工资和劳动在流通领域的交换是自由平等的，

①《马克思恩格斯全集》第46卷（上册），人民出版社1979年版，第197页。

②《马克思恩格斯全集》第46卷（上册），人民出版社1979年版，第198页。

③《马克思恩格斯全集》第46卷（上册），人民出版社1979年版，第201页。

④《马克思恩格斯全集》第46卷（上册），人民出版社1979年版，第240页。

但到了生产领域，自由平等就成为泡影，和活劳动相交换的这一部分资本，得到了增加他的资本价值的剩余劳动，并通过活劳动的质，使物化在资本中的过去劳动得到保存，也就使原有资本的价值得到保存。因此，购买活劳动的这一部分资本并没有进行等价交换，而是无偿占有了他人劳动的结果。如此，资本家和工人之间的平等自由交换的关系也就完全不存在了。

马克思在此第一次提出了剩余价值问题，剩余价值总是超过等价物的价值，这是资本家无偿占有的工人剩余劳动创造的超过等价交换的余额。在产生剩余价值的过程中，作为资本的货币，或者说转化为资本的货币，存在于货币形态的工资与雇佣劳动相结合后，而进行生产的资本主义生产方式中。由此我们可以发现，作为货币的货币只是流通的媒介，其目的不是为了赚钱，只是为了方便换回自己需要的商品；而作为资本的货币，其目的在于价值增殖，让投入的货币换回更多的货币，在等价交换的价值规律面前，只有购买劳动"产品"，让其使用价值活劳动创造出剩余价值，才能实现自身增殖的目的。

马克思指出，"货币作为资本，可以看作是货币的更高的实现；正如可以说猿发展为人一样"[①]。货币所有者在购买劳动力之后，在其使用或消费过程中，不仅能获得他先前所支付的价值，包括对于工人和工资的支出，还能实现其资产或商品价值的增加，获得剩余价值。一旦货币购买的劳动力能够产

①《马克思恩格斯全集》第46卷（上册），人民出版社1979年版，第204页。

出剩余价值，货币就实现了向资本的转化。

第三，资本转化为剩余价值。马克思在《手稿》中以资本界限说来阐述剩余价值理论。资本必然的界限是：必要劳动是活劳动能力的交换价值的界限；剩余价值是剩余劳动时间的界限，就相对剩余劳动时间来说，是生产力发展的界限；也可以这样表述：向货币的转化，交换价值本身，是生产的界限。[①] 马克思发现，围绕资本的形成，可以把握到三个界限或条件：工人劳动能力只有能够满足生产某种产品所需的社会必要劳动时间，工人劳动力才能作为商品被资本家所购买，商品生产的社会必要劳动时间决定了工人的最低工资；在社会必要劳动时间之外是剩余劳动时间，剩余价值由剩余劳动所创造，资本家获取的剩余价值的多少取决于工人在社会必要劳动时间之外，继续提供多少剩余劳动时间；相对剩余价值由生产力水平所决定，生产力水平提高，生产效率越大，工人创造的相对剩余价值越大。

可见，资本是由工人的劳动能力、工人的工资、社会必要劳动时间、剩余劳动时间、生产力发展水平（包括生产效率）等众多关系、要素和界限构成的，资本的目的是无止境地追逐剩余价值。只要把握好这个目的和资本产生的条件，就可以揭示生产过剩的基础，揭示出发达资本主义基本矛盾产生的根源。工人必要劳动的一部分所创造的价值，回补了资本家给予的工资，剩余时间继而创造的价值为资本家所无偿占有，这部分价值就是剩余价值。资本追逐的利润就是剩余价值。为

---

① 参见《马克思恩格斯选集》第2卷，人民出版社2012年版，第722页。

了追求剩余价值，资本会不断地缩短社会必要劳动时间，延长剩余劳动时间，提高生产力水平，等等。在资本转化为剩余价值过程中，充满着资本家对工人劳动的剥削和压榨。正如列宁所解释的，工作日的劳动包括无报酬的劳动，无偿劳动为资本家创造出作为利润来源的剩余价值，这也正是资产阶级财富的来源。[①] 这样，资本转化为剩余价值，资本主义生产过程中表面上的自由平等掩盖着实质上的不自由、不平等的秘密，被马克思彻底揭穿。

知识链接

★ 劳动价值论概说 ★

劳动价值论是关于价值是一种凝结在商品中的无差别的人类劳动，即抽象劳动所创造的理论。商品价值决定于体现和物化在商品中的社会必要劳动的理论是人们在长期的历史过程中逐渐认识到的。劳动决定价值这一思想最初由英国经济学家配第提出。亚当·斯密和大卫·李嘉图也对劳动价值论作出了巨大贡献。价值是一个商品经济范畴。产品成为商品以交换为前提。交换就有个比率的问题。价值以这个比率，也就是以交换价值为其具体的表达形式，因此，价值的实质往往被模糊了。事实的真相是：如果不从历史存在者出发，那么，李嘉图所得到的“社会存在”就只能是抽象的知识和概念。马克思论证和研究劳动价值论的方式是：“我又把黑格尔的《逻辑学》浏览了一遍，这在材料加工的方法上帮了我很大的

① 参见《列宁选集》第2卷，人民出版社1995年版，第312页。

忙。”[1]但也正是在这里，马克思讥笑了资产阶级工作者：“在所有的现代经济学家中，巴师夏先生的《经济的谐和》集庸俗之大成。只有癞蛤蟆才能搞出这种谐和的烂泥汤。”[2]

三、作为异化的“活劳动”及其未来展望

在马克思看来，古代生产是把人作为生产的目的，而在现代世界里生产是人的目的，财富是生产的目的，因此生产和财富成了人的目的。就人和生产何为目的而言，稚气的古代世界比发达的现代世界显得更加崇高。现代社会把人当作生产和财富的工具，造成了人的异化。马克思在《1844年经济学哲学手稿》中批判的工人的“异化劳动”，在《手稿》中被“活劳动”的概念所代替，这显然是对人的异化状态更加深刻的揭示。《手稿》中《异化劳动和资本。资本的再生产和积累。原始积累》这一章揭示了剩余价值、剩余劳动、剩余产品、资本所体现的异化劳动，说明了这些由人的劳动所创造的事物走向了劳动的对立面。

工人劳动所创造的剩余价值作为新价值，表现为资本。相对于历史上由于各种原因积累的、从外部流通中产生的第一次出现的资本，这种资本是第二次出现的，而且是由生产过程中的剩余劳动创造出来的。相比资本的第一次出现，由剩余价值创造的资本是在生产过程内部产生的，因此更具隐蔽性。剩余劳动产生剩余产品，剩余产品构成使资本进一步增

①②《马克思恩格斯全集》第29卷，人民出版社1972年版，第250页。

殖的资本，即作为劳动客观条件的生产材料和工具，和作为主观条件的活劳动的生活资料。这两个条件使活劳动得以继续生产剩余产品。因此，工人在资本第一次出现时生产的剩余产品，此时隐藏在扩大再生产中，成为推动资本增殖的剩余资本。马克思深刻指出，剩余资本“作为异己的外在的权力，并且作为在不以活劳动能力本身为转移的一定条件下消费和利用活劳动能力的权力来同活劳动能力相对立的一切要素”[①]，本质上乃是活劳动的产品和结果。这就是隐藏在扩大再生产中的活劳动的异化。这种异化表现为以下三个方面：

第一，剩余价值或剩余产品本质上是活劳动的对象化。剩余价值作为“一般劳动超过必要劳动的余额”，是扣除劳动产品成本之后的新价值。这个价值当然由工人的活劳动所创造，但是它作为活劳动的产品却因活劳动的额外付出而具有了新的价值。新价值具有了独立于活劳动的地位，因而可以与活劳动相交换，比如购买活劳动。

第二，活劳动创造的资本决定活劳动的状态。新价值为了实现增殖，必须采取特殊形态，即作为原料和工具、作为活劳动的生活资料而出现。新的形态就使剩余价值具有了资本的属性。当剩余价值转化为资本，工人不得不在活劳动的对象化中继续对象化。其所产生的剩余价值会不断变成新的劳动条件，无论是客观条件还是主观条件，无论是活劳动的保存还是活劳动的再生产。至于在主客观条件之间、在劳动力的保存和再生产之间究竟采取何种比例关系，那是由资本以及

---

①《马克思恩格斯文集》第8卷，人民出版社2009年版，第99页。

资本面对的实际情况决定的，它与活劳动本身没有本质关系。也就是说，工人工资水平的高低，其维持和再生产劳动力的成本，并不能由工人决定，而是由资本决定，而资本却是由工人此前的活劳动创造的。因此现实情况表现为：工人的活劳动决定了工人受压迫的状态。

第三，由活劳动创造的价值独立于活劳动。由活劳动创造的新价值，作为资本和劳动的客观条件，构成了活劳动的“异己性”，即“作为具有自己的意志和利益的人格化，同工人的人格相对立”①，新价值具体表现为财产（劳动的物质条件）与活劳动相分裂、表现为资本家的意志同活劳动相对立。从劳动的角度分析，这种对立表现为“财产同劳动之间，活劳动能力同它的实现条件之间，对象化劳动同活劳动之间，价值同创造价值的活劳动之间的这种绝对的分离”②。总之，这种对立和分离，不仅表现为劳动产品、劳动本身的异化，而且使全部劳动的结果都作为资本同活劳动对立。

马克思把“活劳动”称作“活动的这种物的躯体的创造”，并指出它是在与人的劳动能力的对立和对象化中实现的。对象化并不等同于对立。《手稿》指出：“关键不在于对象化，而在于异化，外化，外在化，在于不归工人所有，而归人格化的生产条件即资本所有，归巨大的对象（化）的权力所有，这种对象（化）的权力把社会劳动本身当做自身的一个要素而置于同自己相对立的地位。”③人的躯体所蕴含的劳动能力必需通过对象化表达人的创造，但是如果人的创造物不属于人，“对象化”

---

①②《马克思恩格斯文集》第8卷，人民出版社2009年版，第100页。
③《马克思恩格斯文集》第8卷，人民出版社2009年版，第207页。

就转变为对立和异化。“活劳动”的概念深刻表达了人只不过是“活着的劳动力”，只不过是作为拥有劳动力的“物”和“躯体”的存在。由活劳动所创造的一切，包括劳动的主观条件、客观条件、剩余产品、剩余价值、作为价值人格化的资本家，等等，都与活劳动自身相对立。马克思在讨论活劳动时，延续并进一步深化了《1844年经济学哲学手稿》中的异化劳动思想，活劳动的概念也为《资本论》对拜物教的批判奠定了基础。

在《手稿》中，马克思不仅批判了活劳动对人的异化，而且分析和预示了人类历史中异化从产生、发展到扬弃的过程。这一过程就是社会发展三形态理论。《手稿》指出：“人的依赖关系（起初完全是自然发生的），是最初的社会形式，在这种形式下，人的生产能力只是在狭小的范围内和孤立的地点上发展着。以物的依赖性为基础的人的独立性，是第二大形式，在这种形式下，才形成普遍的社会物质变换、全面的关系、多方面的需要以及全面的能力的体系。建立在个人全面发展和他们共同的、社会生产能力成为从属于他们的社会财富这一基础上的自由个性，是第三个阶段。第二个阶段为第三个阶段创造条件。”[①]“人的依赖关系”即指上述资本主义制度之前的自然经济状态。此时，人的生产力水平较低，人的主体地位并没有确立，人对自然形成了依赖的关系。第二大形态“以物的依赖性为基础的人的独立性”则反映了商品经济条件下人的异化状态。此时人虽然摆脱了对自然的依赖性，在某种程度上获得了独立性，但异化的生产劳动形成了对人的普遍制约

①《马克思恩格斯文集》第8卷，人民出版社2009年版，第52页。

和依赖关系。无论是工人还是资本家，都产生了对商品、货币、资本这些“物”的依赖。马克思展望，在人类发展的未来阶段，人将超越对物的依赖关系，达到自由和全面发展，这是马克思设想中的产品经济。马克思明确指出，第二阶段是第三阶段的必要的准备阶段，是人类达到产品经济的必经之路。“以物的依赖性为基础的人的独立性”的社会，也就是人被物所异化的社会。也只有经历这种形态，才能实现产品经济条件下的“个人全面发展和他们共同的社会生产能力成为他们的社会财富”这个基础上的人的自由个性。如此看来，人作为“活劳动”的境遇，正是为社会发展第三阶段，即人的独立性作必要的准备。当社会财富成为每个人的共同财富，作为活劳动的“躯体”就会成为自由全面发展的人。

四、从抽象上升到具体的方法

从马克思对商品、货币和资本这三种资本主义生产方式的社会存在形式的深入分析中，我们可以看到，《手稿》是历史与逻辑的统一体，它深刻揭示了商品、货币和资本的秘密，完整地呈现出资本主义生产运行的内在机制和限度。由商品、货币和资本这些抽象的概念入手，分析市场、国家、国际交换、金融体系等具体的实在，进而揭示出资本主义生产运行的机制和限度，这就是从抽象上升到具体的方法。

马克思肯定“从抽象上升到具体”这一方法是科学上正确的方法[①]，并具体运用于他对经济现象的具体分析和阐述中。

① 参见《马克思恩格斯选集》第2卷，人民出版社2012年版，第700—701页。

各种生产要素一旦被抽象规定下来，经济学就要依循这条道路而延伸，即从抽象的范畴如商品、货币、资本等上升到市场、国家、国际交换、金融体系等具体的实在。以商品范畴为例，马克思指出，对商品的研究，使用显微镜和化学试剂，两种工具都不可取，对商品的分析应该置于抽象力层面来加以研究。[①]虽然商品具有悠久的发展历史，但是对商品的研究决不能沿着其历史发展轨迹对其构成进行“显微镜”式的解构分析，更不能借助“化学试剂”，以还原其原初形态来判断商品经济发展的特征和规律。因为追溯历史，作为处于低级发展阶段原初形态的商品，人们不可能从这种低级阶段来判断其高级发展阶段的规律性呈现。正如马克思所说，工业较发达的国家所显示的景象，正是工业较不发达国家的未来远景。[②]在整个经济学体系中，较为简单的范畴虽然可以体现在较为实在的范畴之前，但在历史上，这些简单的范畴只有在其实在范畴的高级阶段才能得以显现。

知识链接

★ 辩证思维方法 ★

辩证思维方法又称辩证分析方法，是哲学术语，也就是辩证法的方法，是根据客观事物自身的辩证本质进行思维与分析的科学方法。辩证法把客观世界的各种事物和现象，看作是普遍联系和永恒变化着的，并把世界的发展变化看成是自身所固有的各种矛盾发展变化的结果。辩证思维方法包括归纳与演绎、分析与综合、抽象与

①② 参见《马克思恩格斯文集》第5卷，人民出版社2009年版，第8页。

具体、逻辑与历史相统一。

归纳与演绎是写作过程中逻辑思维的两种方式。人类认识活动，总是先接触到个别事物，而后推及一般，又从一般推及个别，如此循环往复，使认识不断深化。归纳就是从个别到一般，演绎则是从一般到个别。演绎和归纳分别是在认识中把整体分解为部分和把部分重新结合为整体的过程和方法。分析是把事物分解为各个部分、侧面、属性，分别加以研究，是认识事物整体的必要阶段。抽象与具体，一对常用的哲学范畴，原来有分离与聚合的含义，在黑格尔的哲学中，有特殊的含义。通常所说的抽象，指在认识上把事物的规定、属性、关系从原来有机联系的整体中孤立地抽取出来；具体是指尚未经过这种抽象的感性对象。逻辑与历史，历史是指客观现实的历史发展过程（包括自然界和人类社会）以及人类认识客观现实的历史（包括科学史、哲学史、思维史等）；逻辑是指历史发展过程在思维中概括的反映。逻辑与历史的统一是指思维的逻辑应当概括地反映历史发展过程的内在必然性。需要指出的是，历史的方法和逻辑的方法本质是一样的。

五、"普照的光"的方法

《手稿》中记录着关于"这是一种普照的光"的著名论断。任何社会都是由各种生产方式构成或各种生产方式"混合"构成的有机体。在这一有机体中，既包含着自身社会所特有的生产和关系构成的生产方式，也包含着过去社会生产和关系的留存因素和新生的因素，但是各种生产方式中必然有一种因素居于主导地位，占据支配地位。这样一种居于主导地位，占据支配地位的生产方式就是该社会的"普照的光"。这种

"普照的光",它掩盖和改变着一切其他色彩和特点,决定着一切存在于整体中的比重。[①]

马克思将这种"普照的光"在社会生活领域,运用抽象上升到具体的方法,明确为"物质生活的生产方式"。他指出,"物质生活的生产方式制约着整个社会生活、政治生活和精神生活的过程"[②]。这种"普照的光"在社会经济领域,"资本"作为一种生产方式在资本主义社会生产中居于"普照的光"的核心地位。正如马克思指出,每一历史时代主要的经济生产方式和交换方式都是该时代上层建筑的历史所赖以确立的基础。

列宁在《什么是"人民之友"以及他们如何攻击社会民主党人?》一文中总结了马克思所用的方法就是,从社会生活的各种领域以及一切社会关系中划分出经济领域和生产关系来,并把它们当作决定其余一切关系的基础。[③]熊彼特把马克思这一方法总结为,生产形式或条件是社会结构的基本决定因素。[④]资本主义社会就是按照其资本逻辑来组织生产、创造财富和进行社会治理的。

在马克思的资本学说中,"资本"已然超越"资本主义生产方式"的一般态,作为一种生产方式的特殊态,在资本主义世界各个领域发挥着"普照的光"的辐射力,成为揭开资本主义经济社会奥秘的关键。在《手稿》中,马克思从"资本"逻辑出

---

① 参见《马克思恩格斯文集》第8卷,人民出版社2009年版,第31页。

②《马克思恩格斯选集》第2卷,人民出版社2012年版,序言第2页。

③ 参见《列宁选集》第1卷,人民出版社1995年版,第6页。

④ 参见[美]约瑟夫·熊彼特:《资本主义、社会主义与民主》,吴良健译,商务印书馆1999年版,第53—53页。

发，揭开资本主义社会各种经济现象之谜，彻底弄清了商品、货币和资本的关系，或者说劳动和资本的关系；揭示出剩余价值规律，揭开了现代资本主义社会内部有产阶级对无产阶级压榨剥削的残酷性以及服务于追求剩余价值最大化的所谓自由平等意识形态的虚伪面纱。

"普照的光"方法对于经济学深层次研究工作非常重要。研究经济学概念、范畴和逻辑，不能按照其历时性，即出现的先后顺序来研究，而应该按照其共时性，即资本主义社会中共存的生产关系来研究，按照其在社会结构中的权重配比、地位作用来思考。资本是资本主义社会支配一切的权威力量，必将成为经济学研究的核心，而各种生产要素，又都必须置于资本主义生产关系中来考量。除此之外，"普照的光"方法对于社会科学的研究具有普遍性的价值。它可以让我们在纷繁复杂的社会构成中，认清社会的性质和特性，分清其主次矛盾、矛盾的主要方面和次要方面，理解矛盾的新旧变化，从而达到对社会生活的全面认知和理解。

延伸阅读

（1）马克思：《〈政治经济学批判〉序言》，《马克思恩格斯选集》第2卷，人民出版社2012年版。

（2）马克思：《〈资本论〉第一卷（节选）·商品》，《马克思恩格斯选集》第2卷，人民出版社2012年版。

（3）马克思：《〈资本论〉第一卷（节选）·绝对剩余价值和相对剩余价值》，《马克思恩格斯选集》第2卷，人民出版社2012年版。

（4）习近平：《辩证唯物主义是中国共产党人的世界观和方法论》，《求是》2019年第1期。

深度思考

（1）如何理解商品价值二重性的矛盾来自劳动二重性的矛盾？

（2）如何理解资本是带来剩余价值的价值？

（3）结合新时代经济发展实际，谈谈你对生产四个环节生产、消费、分配、交换之间关系的理解。

（4）举例说明马克思是如何运用“抽象上升到具体”方法的。

Reading & Interpretation
大家写小书·马恩经典著作新读

第三章

理论价值与历史意义

《手稿》虽然带有未完成的草稿性质，但有其非常重要的理论价值和历史意义。马克思在《手稿》中基于唯物史观非常详实地阐述了政治经济学的基本问题，形成了马克思主义政治经济学一系列重要思想。可以说，《手稿》既是马克思对政治经济学进行批判研究的重要成果，也是一篇光辉的哲学著作。

一、经济学领域研究的重大哲学创新

《手稿》是专门阐述政治经济学基本问题的著作，体现了马克思在经济学研究中深刻的哲学思考，显现出深刻的哲学理论创新。这些哲学理论创新主要体现在如下几个方面：

一是深入分析资本主义社会财富的存在方式和运动趋势，指出这种“社会存在”所具有的不可调和的内在矛盾，是唯物史观在经济学领域的具体运用。唯物史观主张社会生产、社会生活这些“社会存在”决定了国家、政治、法律等“社会意识”。马克思对资本主义社会存在进行了细致分析，指出商品、货币、资本构成社会财富的三种表现形式，它们作为资本主义的社会存在决定了资本主义的意识形态，成为资本主义社会工人与资本家之间政治法律关系的基石。在此基础上，马克思深入分析由商品、货币、资本所掩盖的尖锐的社会矛盾，指出资本主义生产关系必然灭亡的历史趋势。

二是揭示经济学领域重要范畴的辩证关系，是辩证法在经济学领域的具体运用。马克思在其政治经济学研究中，并非停留于静止的概念内涵分析，而是从对象的矛盾运动出发，揭示了事物的本质。如商品的使用价值与交换价值的二重性，劳动的具体劳动与抽象劳动的二重性，再如劳动与资本的关系、活劳动与劳动条件的关系，特别是商品、货币、资本、剩余价值之间的转换关系等，都体现出马克思把辩证法运用于经济学领域，有力揭示了为“平等交换”所掩盖的资本主义生产的秘密，超越了资产阶级经济学说，实现了唯物辩证法对政治经济学论域的科学观照和理论升华。

二、考察社会历史问题的重要方法论

《手稿》的立场和方法不仅是研究政治经济学的合理示范，而且是考察重大社会历史问题的重要方法。

一是从“异化”及其扬弃的视角分析社会历史发展规律。马克思提出社会三形态理论，指出原初社会在生产力落后的条件下，人对自然形成依赖关系；资本主义社会人虽然获得了不依赖于自然的独立地位，但仍处于人与人的普遍制约和依赖关系中，这表现为工人“活劳动”的命运和资本家“资本代言人”的身份；未来社会则因全体人民共同占有社会财富，就可以摆脱制约和依赖关系，使每一个体走向自由全面发展。这一视角为人类历史发展指出理想性目标，是社会进步的方向与尺度。

二是提供准确把握社会性质和时代特征的合理视角。马克思指出，在人们的各种物质生产中，有一种主要的生产方式主导着其他所有生产方式，这从根本上决定着一切社会关系。这种主要的生产方式，在分析社会历史问题时，成为“普照的光”，使掩盖在纷繁复杂社会现象中的本质鲜明地表现出来。这种视角使我们在分析社会历史发展时，得以从生产资料所有制形式出发，理解社会发展主要矛盾，从而认清社会性质、把握时代特征。

三、为《资本论》的写作奠定充分基础

在马克思主义理论的形成过程中，《手稿》对马克思政治经济学核心思想的形成，尤其是《资本论》的写作奠定了充分基础，具有重要的历史意义。

《手稿》涵括了马克思政治经济学成熟理论的大部分要素。尽管《手稿》不够完善，但是它为马克思政治经济学批判理论提供了基础性理论和实践的研究论域，揭示了马克思政治经济学批判的核心思想。《资本论》中的核心概念，如商品、货币、资本、剩余价值等等，都是《手稿》研究的重要概念。《手稿》揭示了商品的二重性，并指出其源于劳动的二重性，发现了由抽象劳动所创造的交换价值构成"商品—货币—资本—剩余价值"这一转化的基础，揭示了剩余价值产生的秘密。尽管《手稿》没有对剩余价值这一概念进行成熟完整的阐释，但它对资本主义生产实质的剖析，对剩余价值生产过程的分析，已然凸显出剩余价值的本质内涵和重要性质。《手稿》为马克思政治经济学批判理论的形成，为《资本论》的写作作好了必要的理论准备。

总之，马克思在《手稿》中基于唯物史观非常详实地阐述了政治经济学的基本问题，形成了其政治经济学一系列重要思想，涵括经济学领域研究的重大哲学创新和考察社会历史问题的重要方法论，对《资本论》的写作具有奠基性的历史意义。

延伸阅读

（1）马克思：《〈资本论〉第三卷（节选）·规律的内部矛盾的展开》，《马克思恩格斯选集》第2卷，人民出版社2012年版。

（2）恩格斯：《在马克思墓前的讲话》，《马克思恩格斯选集》第3卷，人民出版社2012年版。

（3）习近平：《在纪念马克思诞辰200周年大会上的讲话》，人民出版社2018年版。

深度思考

（1）简要阐述《政治经济学批判（1857—1858年手稿）》的理论价值和历史意义。

（2）结合马克思主义经济学原理，说说马克思为什么被西方媒体评价为“千年第一思想家”。

（3）谈谈你对金融危机“捧红”马克思《资本论》的理解。

Reading & Interpretation
大家写小书·马恩经典著作新读

第四章

新时代的现实意蕴

诚如马克思所言，在资本“到处建立联系”的过程中，资产阶级“迫使一切民族——如果它们不想灭亡的话——采用资产阶级的生产方式”[①]。这就使分散的各民族的生产生活连接为一个整体，历史走向了世界历史。近代以来，我国也从被动到主动地加入了世界历史，并创造了社会主义市场经济这一独特的经济模式。《手稿》中马克思对资本主义政治经济学的批判分析，无疑会对我国经济社会发展提供有力指导。

一、正确认识和把握资本的特性和行为规律

2021年中央经济工作会议指出，社会主义市场经济是一个伟大创造，社会主义市场经济中必然会有各种形态的资本，要正确认识和把握资本的特性和行为规律，兴利除弊；为资本设置“红绿灯”，依法端正监管定位；强化对资本的有效监管，防止资本野蛮生长；强化反垄断与防止资本无序扩张，维护公平竞争的市场环境。2022年4月底，中共中央政治局第三十八次集体学习专门以依法规范和引导我国资本健康发展为主题。习近平总书记在主持学习时强调，资本是社会主义市场经济的重要生产要素，在社会主义市场经济条件下规范和引导资本发展，既是一个重大经济问题，也是一个重大政治问题，既是一个重大实践问题，也是一个重大理论问题，关系坚持社会主义基本经济制度，关系改革开放基本国策，关系高质量发展和共同富裕，关系国家安全和社会稳定。必须深化对新的时代条件下我国各类资本及其作用的认识，规范和引导

① 《马克思恩格斯选集》第1卷，人民出版社2012年版，第404页。

资本健康发展，发挥其作为重要生产要素的积极作用。

首先，正确认识和把握资本的特性和行为规律，发挥资本作为生产要素的积极作用，同时有效控制其消极作用。

资本的特性，即资本的内在规定性。马克思在《手稿》中明确指出，在资本的简单概念中包含着资本的文明化趋势，同时也潜在地包含着未来才会暴露出来的矛盾和冲突。[①]由此可见，在资本的产生和运行发展过程中，既能推动社会进步，又会为社会发展带来冲突。资本这个二重性贯穿于经济社会发展。

资本所具有的二重性，具体表现为兼具促进经济增长和抑制经济增长的两面性。一方面，资本是提高生产力水平和促进社会经济增长的主要动力。工业革命极大地促进了社会生产力的发展，手工工场为大机器规模化生产所取代，自然经济也转化为商品经济，这是生产力的巨大飞跃，是人类社会的巨大进步。资本主义制度在此过程中得到进一步巩固，资本主义世界市场不断扩大，资本主义世界体系最终形成，推进着世界文明化的发展进程。这一现象的背后是资本追逐利润最大化目标的驱动。资本增殖的要求使资本快速而大规模地扩张，极大地解放和发展了整个社会的生产力。另一方面，由于资本逐利的本性，其潜在的内部矛盾与日俱增，资本不断僭越规范发展的合理界限，呈现无序或过度扩张态势，这使资本运行必然走向阻碍经济发展的一面。正如马克思在《手稿》中所说的，从资本的观点来看，资本在促进生产力发展的同时，同

① 参见《马克思恩格斯全集》第30卷，人民出版社1995年版，第395页。

样也会表现出生产力的阻碍因素；就资本本身而言，只有当外部刺激生产力，既为生产力所需要，又表现为对生产力的控制的时候，才成为生产力发展的条件。①

因此，在看到资本促进生产力发展和经济增长有利一面时，不能忽视其负面效应。如果不加以有效控制，任由资本无底线逐利，让资本的刺激无限放大，就必然会失去“生产力发展的条件”，进而带来一系列严重后果。所以，只有通过对资本预先设置规则限定，划分禁止资本卷入的领域，明确“不可为”领域、“不可为”行为，才能更好地引导资本进入“应作为”和“应有为”的领域。对此，宏观层面要坚持“两个毫不动摇”；从行业层面看，既要通过完善反垄断、数据信息保护、加强金融监管等方面的法律法规，加强对资本扩张的引导和管控，又要同步建立责任机制和制度体系，统筹过程与结果，实现有序发展。

其次，为资本设置“红绿灯”，依法端正监管定位，防止资本野蛮生长。

为资本设置“红绿灯”，意在引导资本在法律法规的制度框架下积极作为，实现资本行为的有所作为。同时，遏制资本无序扩张。为资本设置“红绿灯”不是不要资本，而是要资本有序发展。无论是国有还是民营，内资还是外资，都是社会主义市场经济的重要组成部分，在推动我国经济社会发展的同时，最终落脚于为人民美好生活需要而服务。

为资本设置“红绿灯”，旨在保护资本市场的合法权益。

① 参见《马克思恩格斯全集》第30卷，人民出版社1995年版，第396页。

一方面，亮"红灯"，明确规则划定底线。近年来，针对平台垄断、无序扩张、竞争失序、游资炒作、内幕交易等问题和现象，我们强化反垄断和防止资本无序扩张，出台了一系列应对措施，这充分体现出党和国家保护各类市场主体合法权益的决心和信心。通过有形之手加以规制，让资本为经济社会发展服务，在推进科技、繁荣市场、便民生活、参与竞争中发挥积极有效的作用，规约资本不去争夺"最后一块铜板"，而是赚有把握的钱，留有余地。另一方面，开"绿灯"，充分发挥资本作为市场经济重要生产要素的积极作用。鼓励资本合法合规经营发展，运用法治思维法治方式深化改革，推动有效市场和有为政府更好结合，进一步增强投资的可预期性和稳定性，营造良好市场环境，进一步激发各类市场主体活力。

知识链接

★ 以"红绿灯"支持引导资本规范健康发展 ★

规范发展，是为了健康发展。遏制资本无序扩张，不是不要资本，而是要让资本有序发展、持续发展。为资本设置"红绿灯"，意味着既有"红灯"，也有"绿灯"，不是一味禁止，而是疏堵结合、有效监管。通过事先规则设定，重点划分出哪些领域是禁止资本进入的，哪些领域是鼓励资本大展拳脚的，明确"不可为"领域、"不可为"行为，才能更好积极引导资本进入"应作为"的领域，释放市场活力，充分发挥资本的有效作用。

最后，强化反垄断与防止资本无序扩张。

2021 年，党中央围绕反垄断、防止资本无序扩张作出一系列重大决策部署，并在立法、司法、执法等层面都取得了十分突出的成绩。从政策层面来看，强化反垄断和防止资本无序扩张作为重要实践论域，被置于国家安全层面来加以强调和落实。2020年年底召开的中央经济工作会议，明确提出要强化反垄断和防止资本无序扩张。至此，反垄断浪潮从重点整治互联网平台开始，掀开了2021“反垄断”大年的序幕。

2021年，中央频频释放强化反垄断信号：3月，中央财经委员会第九次会议强调，要建立健全平台经济治理体系，加快完善其法律法规，及时弥补规则漏洞，实现其规范健康持续发展态势；8月，习近平总书记主持召开了中央全面深化改革委员会第二十一次会议，通过了《关于强化反垄断深入推进公平竞争政策实施的意见》，对深入推进市场公平竞争作出战略部署；《法治政府建设实施纲要（2021—2025年）》中明确强调，改进反垄断与反不正当竞争执法，强化公平竞争审查制度刚性约束，及时清理阻碍市场统一和公平竞争的一些做法，推动形成更高标准的市场体系；10月，中央政治局第三十四次集体学习强调，防止平台垄断和资本无序扩张，依法查处垄断和不正当竞争行为；2021年中央经济工作会议上，再次明确强调加强反垄断和反不正当竞争，以公正监管保障公平竞争，并将其纳入2022年经济工作的七项重点任务之一。2022年强监管信号延续，反垄断监管框架有望更完善。平台经济、科技创新、信息安全、民生保障等诸多重点领域反垄断利剑高悬，监管执法将进一步加强，为各类市场主体投资兴业、规范健康发展营造更良好的竞争环境。

从立法层面来看，一系列法律法规的修订并颁布实施，促使法治体系更加完善。2021年2月，国务院反垄断委员会印发《关于平台经济领域的反垄断指南》，对平台经济领域具体适用反垄断法，提供更加细化的规则指引。此后，《网络交易监督管理办法》正式施行，为网络交易主体有序规范地开展交易活动提供了更为清晰的法治保障。《禁止网络不正当竞争行为规定》公开征求意见，更严格地监管网络不正当竞争的行为。2021年8月，最高人民法院公布《最高人民法院关于适用〈中华人民共和国反不正当竞争法〉若干问题的解释（征求意见稿）》，其中对"互联网专条"的兜底条款进一步补充和细化，为正确审理互联网不正当竞争纠纷案件，维护公平竞争秩序提供司法指引。10月，全国人大常委会正式公布《中华人民共和国反垄断法（修正草案）》并向社会征求意见。它迎来了其施行13年以来的首次大修，草案对数字经济发展提出的新挑战作出回应，强化了对大型数字平台的反垄断规制，重点关注了数据、算法、技术、平台规则的特殊问题，并在总则中明确"国家强化竞争政策基础地位"，从法律层面完善了公平竞争审查制度的顶层设计。本次《中华人民共和国反垄断法》的修订是国家在立法层面对维护公平竞争的市场环境进行的整体部署，将会是推进平台经济有序健康发展的重要法律武器。

从执法层面来看，执法力度明显加大，大型数字平台成为重点监管对象。2021年，反垄断连落实锤，相关处罚案件和处罚规模大幅上行。据统计，截至2021年11月，与垄断协议、滥用市场支配地位以及经营者集中等相关的行政处罚案件大幅上行至110件，远高于过去5年的平均每年25件；相关行政处罚规模大幅上行至228亿元左右，远高于过去5年的平均每年4亿元左右。

知识链接

★ 执法力度明显加大，大型数字平台成为重点监管对象实例[①] ★

2020年12月，依据《反垄断法》对阿里巴巴在我国境内网络零售平台服务市场滥用市场支配地位行为立案调查，并于2021年4月对其在我国境内网络零售平台服务市场实施的“二选一”垄断行为作出罚款182.28亿元的行政处罚，创造了我国反垄断法实施以来的最大罚单；2021年7月10日，依法禁止虎牙公司与斗鱼公司合并；2021年7月24日，依法对腾讯公司作出责令解除网络音乐独家版权等处罚。2021年9月9日，工信部有关业务部门召开了“屏蔽网址链接问题行政指导会”，对有关互联网企业提出相应的合规标准，要求限期内各平台必须按标准解除屏蔽。2021年10月8日，对美团在我国境内餐饮外卖市场实施“二选一”垄断行为作出行政处罚，责令美团停止违法行为，全额退还独家合作保证金12.89亿元，并处以34.42亿元罚款。

二、丰富和完善社会主义基本经济制度

马克思主义武装起来的中国共产党一直努力根据百年经济建设实践，不断丰富和完善社会主义基本经济制度。中国

① 参见杨东、陈怡然：《强化反垄断与防止资本无序扩张的回顾与展望》，《中国经济评论》2021年Z1期，第90页。

共产党成立初期，就已经认识到要让中国人民摆脱受剥削、受压迫的现状，就必须彻底消灭产生剥削、压迫制度的根源，“生产资料在谁手里，这是决定性的问题”[①]。中国共产党凭借着符合社会前进方向、符合人民利益的相对合理的所有制和分配方式来维护人民利益。在不同历史时期，中国共产党依据生产力状况和生产关系出现的问题，不断调适生产条件、分配方式和社会劳动组织方式的关系问题，进而探索出公有资本，生产资料所有制的多元化、公有制为主体的混合经济，按劳分配为主体多种分配方式并存等一系列与市场经济相关的经济模式。事实证明，在中国共产党领导的百年经济建设实践中，这些大胆探索丰富和完善了社会主义基本经济制度，推动了社会主义市场经济不断发展。

首先，坚持公有制为主体、多种所有制经济共同发展，是社会主义基本经济制度的基本要求。

按照《手稿》中提出的马克思主义政治经济学原理，生产关系由生产力所决定这一普遍规律的要求，一个社会确立什么样的生产关系（所有制结构），是不以人的意志为转移的，而是由社会所处的历史发展阶段和社会生产力发展水平所决定的。我国社会主义初级阶段的所有制结构是以公有制为主体、多种所有制经济共同发展，这正是取决于社会主义初级阶段的社会性质和生产力发展水平。

由于我国社会主义是在生产力总体发展水平不高的情况下建立起来的，社会占有的生产资料还不能满足全体劳动者

① 邸敏学：《毛泽东邓小平若干经济理论问题研究》，人民出版社 2017 年版，第 119 页。

的需要，这就决定了部分劳动者还要依靠其他所有制经济形式，来进行生产和分配。恩格斯也曾明确指出，私有制不能一下子废除，“只有创造了所必需的大量生产资料之后，才能废除私有制”[①]。

我国社会主义初级阶段的生产力发展水平不仅受生产资料的制约，而且生产力在不同领域不同地域发展不平衡不充分，客观上决定了建立多元化、多层次的所有制结构的必然性，需要发挥各种所有制的优势，共同促进生产力的发展。对此，党中央多次强调坚持“两个毫不动摇”，须臾不可放松。

公有制经济和非公有制经济都是社会主义市场经济不可或缺的重要组成部分和我国经济社会发展的重要基础。一方面，要毫不动摇地发展公有制经济。通过深化国企改革，巩固国企的市场主体地位，健全中国特色现代国企制度，激励国有经济在市场竞争中不断增强竞争力和抵御风险的能力。另一方面，要毫不动摇地鼓励、支持、引导非公有制经济发展。习近平总书记强调指出，“民营经济是我国经济制度的内在要素，民营企业和民营企业家是我们自己人”[②]。通过发展混合所有制经济，完善构建亲清政商关系的政策体系，激发非公有制经济活力，不断提升其经济发展质量。我国民营经济要走向更加广阔的舞台，需要不断壮大，决不能将其弱化甚至使其离场。

其次，按劳分配为主体、多种分配方式并存，是社会主义

①《马克思恩格斯文集》第1卷，人民出版社2009年版，第685页。

② 习近平：《在民营企业座谈会上的讲话》，人民出版社2018年版，第7页。

基本经济制度的重要内容。

我们不仅要高度重视如何把“蛋糕”做大的制度建设，还要把妥善分好社会财富这个“蛋糕”的制度建设一同置于重要位置。正如马克思在《手稿》中所说的，分配关系是生产关系的反面，两者同等重要。

其一，我国现有社会所有制关系决定必须坚持和完善社会主义分配制度。新时代党中央提倡，“发挥分配的功能和作用，坚持按劳分配为主体，完善按要素分配政策，加大税收、社保、转移支付等的调节力度”[①]。通过健全生产要素按贡献权重参与分配的机制，规范收入分配秩序。正如习近平总书记所指出的，“我们要通过深化改革，让一切劳动、知识、技术、管理、资本等要素的活力竞相迸发，让一切创造社会财富的源泉充分涌流”[②]。

其二，健全再分配调节机制。“十四五”规划强调要通过加大税收、社保、转移支付等调节力度和精准性，合理调节过高收入，取缔非法收入，发挥第三次分配作用等途径来完善再分配机制。[③]

其三，在发展中不断扩大中等收入群体。按照典型的三口之家计算，标准大致为年收入10万—50万元范围，现在中国大概有4亿人是属于这个收入范围的中等收入群体。这一群体构成“橄榄型社会”的核心力量和跨越“中等收入陷阱”的

---

①《中央经济工作会议在北京举行》，《人民日报》2021年12月11日，第1版。

②《习近平谈治国理政》第1卷，外文出版社2018年版，第93页。

③ 参见《中共中央关于制定国民经济和社会发展第十四个五年规划和二〇三五年远景目标的建议》，中华人民共和国中央人民政府网，2020年11月3日，http://www.gov.cn/zhengce/2020-11/03/content_5556991.htm，2021年12月30日。

中坚力量。不断扩大中等收入群体比例,成为构建“橄榄型社会”和跨越“中等收入陷阱”的关键。通过健全鼓励支持基础研究体制机制,结合富有创新性的制度安排,补齐制度上的短板;通过改善营商环境,鼓励创业创新,带动就业,增加劳动收入;通过教育和培训提升人力资本,提高居民获取更高收入的能力;通过拓宽城镇与农村居民财产性收入来源渠道增加城乡居民收入。基于以上措施,达到扩大中等收入群体规模的目的,使得国民收入分配格局呈现“橄榄型”态,这将更有效地应对经济全球化浪潮风险的骇波虎浪。

再次,完善社会主义市场经济体制是基本经济制度内在构成的关键要素。

社会主义市场经济体制是中国特色社会主义的重大理论和实践创新,是社会主义基本经济制度的重要组成部分。在多种所有制经济共同发展和多种分配方式并存的条件下,不同所有制间,以商品的生产和交换来维持流通领域的合理运行,具有现实必然性。社会主义初级阶段公有制的性质和分配方式的特征决定着市场经济存在的意义。

一方面,从所有制关系来看,马克思提出了把生产的规模发展到能够满足所有人的需要,进而保证每个人一切合理需要得到满足后,私有制将会消亡的论断。[①]到那个时候劳动不再局限于固定地同某一部分生产资料相结合,而从事某种劳动分工。劳动不再是不得已的谋生手段,人获得了充分的自由与解放。劳动成为追求幸福生活的第一需要,物质财富的

① 参见《马克思恩格斯选集》第1卷,人民出版社2012年版,第308—309页。

一切源泉都充分涌流。但是，我国社会制度和公有制经济是在生产力极不发达的条件下建立起来的，现在仍然处于社会主义初级阶段，距离实现社会所有制和劳动者个人所有制所要求的物质条件尚存差距。所以，现阶段的公有制必然存在着“劳动者对生产资料拥有完全平等的所有权但是却只能以就业的形式通过公有制企业这一中介对生产资料局部占有的矛盾”[①]。我国公有制企业行使生产资料的局部占有，并与劳动者的劳动相结合，企业以各自的生产资料和劳动者相结合为基础进行生产，成为商品生产和交换的主体。新时代党中央提出国内改革以建设高标准市场体系为目标，破除行政和行业壁垒，营造一流营商环境，推进高标准要素市场制度和体系建设。这些利好政策助力在市场经济条件下社会正义的充分彰显，体现中国特色社会主义制度的优越性。

另一方面，从分配关系来看，马克思指出，劳动者自己的集体财产是生产的物质条件，这就决定了必然要有不同以往的消费资料的分配方式与之相协调。[②]因此，社会主义个人消费品必须依循按劳分配原则来进行分配，生产资料公有制成为按劳分配原则实行的客观前提。每一个生产者在生产劳动后，再行各项扣除之后，从社会方面正好领回他为社会付出的一切。在市场经济条件下，公有制经济可以凭借一定价值形式来考察和审计企业和劳动者的社会劳动量，同时，利用生产资料的价值形式反映出不同公有制企业获得的生产资料收益

① 方敏：《基本经济制度是所有制关系、分配关系、交换关系的有机统一》，《政治经济学评论》，2020年3月，第11卷第2期，第63页。

② 参见《马克思恩格斯选集》第3卷，人民出版社2012年版，第365页。

情况，反映出绩效差距，从而有效促进按劳分配的公平性和合理化。

三、理解和运用“三位一体”经济制度新格局

多年来，我国把以公有制为主体、多种所有制经济共同发展作为基本经济制度。新时代党中央在此基础上，把按劳分配为主体、多种分配方式并存的社会主义市场经济体制上升到基本经济制度的层面，丰富发展了社会主义基本经济制度的科学内涵，构成我国基本经济制度“三位一体”新的理论体系。这与我国社会主义初级阶段社会生产力发展水平相适应，充分体现了社会主义制度的优越性，是中国共产党又一伟大创造。

首先，“三位一体”新格局丰富了我国基本经济制度理论。所有制理论在《手稿》中占有十分重要的地位。生产资料所有制，决定着促进物质财富创造的生产力的发展程度，决定着生存、发展以及消费资料的供需配比。生产资料所有制的重要性，不仅在于所有制是社会生产和再生产中起决定作用的重要环节，而且在于其反映一定社会制度下各经济主体之间的利益关系。马克思主义创始人对社会主义经济制度本质属性和运行机制的探讨，是他们对未来社会进行科学预判的重要组成部分。其中，生产资料所有制是其涉及最多和较成熟的思想。马克思主义政治经济学体系中的所有制理论是坚持和完善我国基本经济制度的指导思想，也是我国构建所有制生态的理论依据。

2021 年，中央经济工作会议重申“两个毫不动摇”，是对我

们党一贯立场的坚信不疑，强调“两个毫不动摇”，是新时代经济发展的必然抉择，是对马克思主义关于所有制理论在新时代的创造性运用。立足新的时代方位，深入理解这一科学论断，对我们全面深化改革，贯彻落实我国基本经济制度，推动社会生产力更大解放具有重大意义。第一，公有制和非公有制经济都是社会主义市场经济的重要组成，都是我国经济社会发展的重要基础。党中央强调“两个毫不动摇”，公有制经济和非公有制经济共同描绘出了我国基本经济制度的“所有制生态”。在这种多元协同、竞争融合的经济环境中，公有制经济离不开非公有制经济的助力，非公有制经济更离不开公有制经济的支持，两者相辅相成、相得益彰、相互竞争、协调共生，不可偏废其一。第二，“两个毫不动摇”是深化公有制经济改革再出发的理论法宝。改革开放以来，我国社会主义公有制的主体地位日益得到加强，作为国民经济重要支柱的国有企业改革取得累累硕果。2020年，全国国资系统监管企业资产总额达到218.3万亿元，营业收入59.5万亿元、利润总额达到了3.5万亿元，其中中央企业资产总额达69.1万亿元，年均增速达到7.7%。中央企业的利润总额、净利润年均增速分别达到8.8%和9.3%。同时，国有企业在打好三大攻坚战、履行社会责任、保障和改善民生等方面为国家经济社会持续健康发展作出了重要贡献，这些都得益于“两个毫不动摇”重要方针政策的执行。第三，“两个毫不动摇”是坚定非公有制经济发展信心的关键一环。中国经济发展离不开非公有制经济，习近平总书记指出，“非公有制经济在我国经济社会发展中的地位和作用没有变，我们毫不动摇鼓励、支持、引导非公有制经济发展的方针政策没有变，我们致力于为非公有制经济发展营造良好环境和提供更多机会的方针政策没有变”[①]。“三个没有变”既肯定了非公有制经济在我国经济社会中的重要地位，又表现出党中央支持非公有制经济发展的决心。在我国经济发展进程中，把党中央提出的“健全支持民营经济、外商投资企业发展的法治环境”，“营造各种所有制主体依法平等使用资源要素、公开公平公正参与竞争、同等受到法律保护的市场环境”[②]等落到实处，才能维护好中国特色社会主义所有制生态的动态平衡。所以说，公有制经济和非公有制经济犹如中国经济的两翼，缺一不可，两翼配合密切，协调发力，中国经济才能行稳致远。

其次，“三位一体”新格局促进共同富裕目标的实现。马克思主义政治经济学理论的核心是生产力和生产方式的关系。生产力高度发达、人们共同占有社会财富的共同富裕既是马克思主义的一个基本目标，也是中国人民的一个朴素理想。按照马克思的构想，共产主义社会将彻底消除由阶级、社会、劳动力之间的差别和对立造成的异化现象，实行各尽所能、按需分配，真正实现每个人自由而全面的发展。到那时，“生产将以所有的人富裕为目的”，“所有人共同享受大家创造出来的福利”[③]。我们党始终带领人民为创造美好生活、实现

①《习近平谈治国理政》第2卷，外文出版社2017年版，第259页。

②《中共中央关于坚持和完善中国特色社会主义制度　推进国家治理体系和治理能力现代化若干重大问题的决定》，中华人民共和国政府网，2019年11月5日，http://www.gov.cn/zhengce/2019-11/05/content_5449023.htm，2021年12月20日。

③ 习近平：《在纪念马克思诞辰200周年大会上的讲话》，人民出版社2018年版，第20页。

共同富裕而踔厉奋发。毛泽东同志在中华人民共和国成立之初就描绘出我国发展富强的宏伟目标，我们所追求的富，“是共同的富，这个强，是共同的强”[①]，人民都会在国家的富强中受益。邓小平同志升华了共同富裕的社会主义内涵，指出“社会主义最大的优越性就是共同富裕，这是体现社会主义本质的一个东西”[②]。经过长期艰苦奋斗，我们党在实践中形成以共同富裕为目标导向，不断深化分配制度改革的规律性认识。多年来，我国把以公有制为主体、多种所有制经济共同发展作为基本经济制度。新时代党中央在此基础上，把按劳分配为主体、多种分配方式并存以基本经济制度的形式固定下来，有利于发挥基本经济制度规范人、鼓舞人、感召人的作用，促进社会公平正义，减少社会不稳定因素，是更好地实现全国人民共同富裕更加有力的制度保障。

按劳分配为主体、多种分配方式并存的分配制度不仅关乎人民群众的现实利益，而且关乎共同富裕目标的制度安排。公有制和按劳分配是共同富裕和人民共享发展成果的制度保证。中国共产党领导全国人民进行社会主义革命、建设和改革多年以来，我国分配制度也在社会主义生产力和所有制关系的发展过程中不断调适和完善：分配方式实现由单一的按劳分配向多种分配方式并举的模式转变，分配原则实现了从平均分配到“效率优先、兼顾公平”模式转变，分配思路经历了从先富带动后富再到共富、共享的转变。我们要的发展，是坚持以人民为中心的、朝着共同富裕的目标前进的发展，发

①《毛泽东文集》第6卷，人民出版社1999年版，第495页。

②《邓小平文选》第3卷，人民出版社1993年版，第364页。

展成果由全体人民共享，绝不能容许“富者累巨万，而贫者食糟糠”①现象的出现。分配制度纳入我国基本经济制度，是以制度安排推进共富目标实现的直接体现。

按劳分配为主体、多种分配方式并存的分配制度提升到我国基本经济制度层面，进一步厘清了收入分配的全面深化改革思路。邓小平指出，发展社会主义，社会主义公有制经济占主体和实现共同富裕，这两者是必须坚持的根本原则。同理可证，中国特色社会主义的本质要求是实现共同富裕目标，而实现这一目标的根本在于坚持公有制为主体这一经济基础，大力发展生产力，在推动社会财富不断增长的同时调节分配，发挥分配制度倒逼生产力发展以及发现问题、完善制度的反作用，进而使得收入分配改革思路更加清晰。在坚持和巩固公有制为主体、多种所有制经济共同发展的所有制结构，创造和积累更多社会财富，为合理分配提供物质保障的同时进一步完善分配制度体系，发挥市场、政府、社会和个人的作用，推动三次分配的有效协调。这些关于分配的制度规定推动共同富裕，保证社会主义发展方向，能够兼顾长远和当前，兼顾国家社会和个人，兼顾效率和公平，实现目标与手段、经济发展与社会进步的统一，为实现社会主义现代化强国助力。

最后，“三位一体”新格局推动经济高质量发展。党领导我国经济建设走过百年历程，创造了世界罕见的“两大奇迹”：一是经济快速发展奇迹。科技、国防、文化等国家综合实力构成要素显著攀升，人民生活显著改善，中华民族以不卑不亢的

①《习近平关于社会主义社会建设论述摘编》，人民出版社2017年版，第36页。

姿态屹立东方；二是社会长期稳定向好发展奇迹。我国长期保持国泰民安的稳定局面，成为国际社会所公认的最有安全感的国家。这证明了我国基本经济制度是适合中国国情的伟大创造。环顾新时代我国经济发展大局，2021年我国虽然经济发展保持全球领先，产业链韧性不断得到提升，改革开放向纵深推进，实现了"十四五"良好开局，但是，仍面临世纪疫情和百年变局交错叠加外部环境的严峻复杂，经济需求收缩、供给冲击、预期转弱的国内环境三重压力，疫情引发的治理难点，"后现代"诸多不确定性显著上升等问题相互交织带来的困难。2021年中央经济工作会议上，习近平总书记强调，**"既要正视困难，又要坚定信心"**[①]。正视国际社会风云变幻、矛盾错综复杂的困难，坚定我国经济韧性强、潜力大，长期向好基本面不变的信心，我们要直面困难、矢志不移地做好自己的事情，不断做强经济基础，增强科技创新能力，以高水平开放促进深层次改革、推动高质量发展。

我国基本经济制度充分体现出以人民为中心的发展思想，有利于形成经济高质量发展与共同富裕的良性循环态势。当今世界面临环境污染、两极分化、资源短缺等问题，威胁着人类生存和发展。前现代化发达的经济实体也遇到经济低迷、阶级对立、逆全球化、危机频发等发展困境。人们越来越清晰地认识到人是发展的主体，是发展的动力，是发展的目的，以人民为中心的发展思想得到极大彰显。所以，才有西方经济学逐步把分配列为独立的研究范畴，才有西方经济学家

①《中央经济工作会议在北京举行》，《人民日报》2021年12月11日，第1版。

发出“能否用卡尔·马克思来挽救资本主义”的呼声。我国是用马克思主义理论体系观照社会主义发展道路，从而建立和实践社会主义制度的。社会主义道路也是被实践证明的符合中国国情的正确道路。作为社会主义国家，坚定人民至上的立场、摆脱剥削与压迫、实现自由与解放是马克思主义所坚守的社会发展方向，也是社会主义本质的体现。新时代最显著的标志是社会矛盾的转变，人民的需求从温饱型、低层次的“物质文化需要”向发展型、高层次的“美好生活需要”转变，以人民为中心的发展思想是实现高质量发展的现实需要。在高质量发展的轨道上，一是举全国之力全面推进中国特色社会主义事业大步向前，不断把“蛋糕”做大；二是把不断做大的“蛋糕”分好，让社会主义制度的优越性在人民群众获得感倍增方面得到充分体现。人民对于公平、公正、安全、环境等有着更高的要求，因此分好“蛋糕”比做大“蛋糕”更重要，衡量社会制度的标准不仅要看基本生活改善程度，而且要看公平、正义的实现程度。党的十九大报告强调，在经济增长的同时实现劳动报酬同步提高。发挥政府职能，拓宽居民劳动收入渠道，尽力缩小收入分配的差距。事实证明，我们现在实施的分配制度，与马克思主义对未来社会生产中全体人民的共同富裕的目标设想一脉相承，是符合以人民为中心的发展思想、符合社会基本经济制度要求、符合社会主义经济发展现状的基本经济制度，有助于为新常态下高质量发展提供强大的内生动力，实现经济发展和共同富裕的良性循环。

四、促进社会主义市场经济中资本的合理应用

当代马克思主义政治经济学的创新发展，要坚持《手稿》中提出的唯物史观于经济学领域具体运用的实践经验，以促进社会主义市场经济中资本的合理应用。

第一，以宏观调控来把航定向，合理分配资本。新时代我国各类新兴经济产业形态层出不穷，带动人们的新兴消费形式多样。由于资本具有与生俱来的逐利本性，因此在我国社会主义市场经济中的资本运转，需要以国家宏观调控来把航定向。在实现共同富裕的战略目标下，坚持"以人民为中心"的发展理念，将资本合理分配和应用于保市场主体、保就业、保民生的领域中，有利于改善人民生活水平的重要产业中。

首先，通过全国人民共同奋斗把"蛋糕"做大做好，然后通过合理的制度安排把"蛋糕"切好分好。这是一个长期的历史过程，要稳步朝着这个目标迈进。

其次，要在推动高质量发展中强化就业优先导向，提高经济增长的就业带动力。坚持就业优先政策，坚持把稳就业工作摆在经济社会发展和宏观政策的优先位置，通过劳动力市场需求和供给两侧同时发力，保护好市场主体特别是中小微企业，加强托底政策的支持，确保就业形势稳定。

最后，坚持尽力而为、量力而行，完善公共服务政策制度体系，在教育、医疗、养老、住房等人民群众最关心的领域精准提供基本公共服务。在这些关键民生领域要避免出现在资本过度扩张的利益驱动下，这些行业服务人民的功能定位也异化为以提高经济效益为目标导向的现象。倘若这种现象不加

以控制，整个国家的生产与生活成本将大幅提高，人民幸福指数必然下降，国家的可持续发展潜力也将会受到巨大冲击。

第二，结构政策发力调控资本，畅通国民经济循环。市场经济的核心问题就是资本问题。从某种程度上讲，没有资本就没有具有现代意义的市场，这是任何一个国家都不能回避的基本经济问题。在新时代我国要发展社会主义市场经济，资本问题是回避不了的现实问题，并且要在应对风险挑战的实践中，通过适当靠前的结构政策发力来调控资本，畅通国民经济循环。

首先，必须把以国内大循环为主体、国内国际双循环相互促进的新发展格局视为一体，不能割裂开来、片面强调某一方面。既要保持战略清醒，把发展立足点始终放在做好自己的事上，加快实现高水平自立自强，努力做大做强国内市场，也要借此打造全球资源要素“引力场”，锻造出不可替代的强大产业链“链接世界”，加大对内开放力度为对外开放创造更大政策空间。

其次，坚持区域经济发展与服务新发展格局协同推进，不能各自为政、画地为牢。要注重区内经济循环顺畅，坚持供给侧结构性改革，不断释放内需潜力。利用建设全国统一的大市场这一时机和平台，主动跳出自我设限的小循环，把自身发展摆进国内国际大循环中。辩证地看待我国的发展新优势，充分认识到我国具备世界级的消费市场，也拥有建设全球领先的国内市场的战略优势，但战略优势还没有完全成为发展现实，关键要破除各个地方由于市场分割、地区封锁和利益藩篱造成的“行政区经济”，才能真正建设统一市场，壮大市场有效规模，增强国内市场的外在吸引力。

再次，坚持“补短板”与“锻长板”齐头并进，不能只盯着“卡脖子”问题，不顾客观实际和产业基础，盲目上马“高大上”项目。诸如近年来石墨烯概念的过度炒作、半导体行业低层次恶性竞争、制造业领域“一窝蜂式”的仓促智能化，非但没有真正补上我国产业短板，反而造成新的产能过剩。“补短板”同时也不能忽视“锻长板”，必须重视我国在优势产业领域的拳头产品打造，不断增强竞争优势，持续巩固领先地位，锻造一批能够有效反制外国断供的“杀手锏”。

最后，有机结合供给侧结构性改革和需求侧管理。坚持供给侧结构性改革的战略方向，在提高供给体系韧性的同时，提高供给体系对高品质需求的适配能力、对潜在需求的引导能力，实现供给与需求更高水平的动态平衡。

延伸阅读

（1）《习近平谈治国理政》第3卷，外文出版社2020年版。

（2）习近平：《在庆祝中国共产党成立100周年大会上的讲话》，人民出版社2021年版。

（3）《中华人民共和国国民经济和社会发展第十四个五年规划和2035年远景目标纲要》，人民出版社2021年版。

深度思考

（1）结合2021年中央经济工作会议精神，运用马克思主义经济学原理，谈谈你对“正确认识和把握资本的特性和行为规律”的理解。

（2）结合2021年中央经济工作会议精神，运用马克思主义经济学原理，谈谈你对“正确认识和把握实现共同富裕的战略目标”的理解。

（3）运用马克思主义经济学原理，回答为什么必须坚持“两个毫不动摇”。

（4）结合新时代社会主义现代化建设过程以及自身具体实践，谈谈如何科学运用马克思主义政治经济学基本原理和方法论。

后　记

马克思主义思想理论博大精深，常学常新。新时代，中国共产党人仍然要学习和实践马克思主义，不断从中汲取科学智慧和理论力量，在跨入全面建设社会主义现代化国家的新阶段时，在统筹推进"五位一体"总体布局、协调推进"四个全面"战略布局中，更有定力、更有自信、更有智慧地坚持和发展新时代中国特色社会主义，确保中华民族伟大复兴的巨轮始终沿着正确航向破浪前行。

理论的生命力在于不断创新，推动马克思主义不断发展是中国共产党人的神圣职责。我们要坚持用马克思主义经典理论观察时代、解读时代、引领时代，用鲜活丰富的当代中国实践来推动马克思主义发展，用宽广视野吸收人类创造的一切优秀文明成果，坚持在改革中守正出新、不断超越自己，在开放中博采众长、不断完善自己，不断深化对共产党执政规律、社会主义建设规律、人类社会发展规律的认识，不断开辟当代中国马克思主义、21世纪马克思主义新境界。

在本书撰写过程中，笔者广泛听取了相关领域专家学者的意见和建议，并参考了大量优秀的理论成果。在此，向为本书作出贡献的学者和单位表达最真挚的感谢！由于时间仓促，本人学识有限，本书难免存在不尽如人意之处，恳请读者和专家不吝赐教。

王海英

2022年9月于北京